당질 제한
슬리밍 레시피

북드림

당질 제한 슬리밍 레시피

초판 1쇄 발행 2018년 2월 5일
초판 5쇄 발행 2021년 4월 28일

지은이 마키타 젠지(지음), 우시오 리에(요리)

펴낸이 이수정 **펴낸곳** 북드림

옮긴이 오세웅 **진행** 신정진, 진수지, 권수신

표지 및 본문 디자인 북드림 **마케팅** 이운섭

등록 제2020-000127호

주소 서울시 오금로 58 916호(신천동, 잠실 아이스페이스)

전화 02-463-6613 **팩스** 070-5110-1274

도서 관련 문의 및 출간 제안 suzie30@hanmail.net

ISBN 979-11-960352-2-8 (13590)

※ 잘못된 책은 구입처에서 교환해 드립니다.

당질 제한
슬리밍 레시피

마키타 젠지 지음 | 우시오 리에 요리 | 오세웅 옮김

북드림

맘껏 먹고도 건강하게
살 뺄 수 있다!

나는 당뇨병 전문가로 매일 환자를 진료하고 있다. 지금까지 당뇨병 환자를 비롯해 많은 사람의 다이어트 치료도 병행해오고 있다. 나의 환자는 일반인부터 유명 인사까지 다양한데, 모두가 자신이 바라던 목적을 달성했다. 대부분의 사람들은 칼로리가 높은 식사가 살찌는 주범이라고 여긴다. 하지만 이는 잘못된 생각이다. 혈당치를 높이지 않는 식사를 하면 당뇨병에 효과가 있을 뿐 아니라 다이어트도 병행할 수 있다. 그중에서도 최고의 식사 요법은 바로 '당질 제한'이다.

당질 제한 방식의 다이어트는 맛있는 음식을 실컷 먹을 수 있다는 대단한 장점이 있다. 게다가 원한다면 술도 마실 수 있다. 시중에는 다이어트 관련 서적이 넘쳐난다. 그중에는 당질 제한을 주장하는 책도 이미 나와 있다. 그럼에도 이 책을 쓴 이유는 실제 진료 경험이 풍부한 전문의가 최신 의학을 바탕으로 쓴 안전한 다이어트 책이 필요하다고 생각해서다.

특히 칼로리 제한을 지키며 필사적으로 참다가 몇 번이고 요요 현상을 겪은 사람, 공복감에 괴로운 사람, 또한 여러 이유로 확실히 다이어트 결과를 내고 싶은 사람들이 읽어주었으면 한다.

이 책에는 실제로 당질 제한 다이어트 방식을 실시한 체험 리포트도 실었다. 또한 손쉽게 만들 수 있으면서 맛있는 레시피도 듬뿍 담았다.

자, 오늘부터 시작하자.

당신도 배불리 먹을 수 있다. 술도 마실 수 있다. 그러면서도 자신이 원하는 몸매를 얻을 수 있다. 이 책은 바로 그런 당신을 위해 썼다.

에지이 클리닉 원장 **마키타 젠지**

당질 제한 다이어트로

실제로 당질 제한 다이어트를 체험해보고 안 사실! 깜짝 놀랄 성과에 주위 사람들도 입을 다물지 못했다!

튀김을 왕창 먹고도 14일 만에

1.3kg 감량!

많이 빠질 때는 2킬로그램! 튀김을 줄이면 살을 더 뺄 수 있다고 반성까지!

완전한 당질 제한 다이어트라는 말에 '꽤 힘들겠다'고 생각했다. 막상 해보니 생각보다 너무 편했다. 다만 탄수화물 섭취를 삼가야 한다는 의식 때문에 오히려 튀김을 많이 먹게 되었다. 당질 이외는 어떤 음식을 먹어도 상관없으니 칼로리에 신경 쓰지 않아도 되는 점이 좋았다. 설탕과 주식뿐 아니라 무, 당근, 우엉, 토란, 옥수수에 포함된 당질도 신경 써야 하는 게 조금은 귀찮았다. 또한 식재료를 사는 데 조금 더 돈이 들었다.

여성, 26세

밥의 양을 반으로 줄인 것만으로 4일 만에

0.8kg 감량!

컨디션의 난조도 없었고 실천하면서 요령을 알게 되었다.

당질을 완전히 제한하는 게 꽤 힘들 것이라고 생각했는데, 밥의 양을 반으로 줄여 당질을 제한하는 것만으로도 간단하게 살이 빠져서 놀랐다. 아내는 독신남이 아니라면 무리라고 간섭했지만, 어떤 메뉴로 하면 좋을지를 알면 해결될 문제라서 이 책에 나온 대로 앞으로도 열심히 따라 할 작정이다.

남성, 28세

술을 마시면서도 14일 만에

2kg 감량!

좋아하는 술을 마시면서도 자연스럽게 살이 빠졌다!

당질 제한 다이어트는 술도 마실 수 있고 맛있는 안주도 먹을 수 있다고 해서 시작했다. 처음에는 괴로웠지만, 사흘이 지날 무렵부터는 편안해졌고 체중도 순조롭게 빠졌다. 아침과 밤, 두 차례에 걸쳐 체중을 계속 측정하는 것이 동기 부여가 되었을지도. 술자리에도 부담 없이 참가했고 컨디션도 별문제 없었다. 이 정도면 주위 사람들에게 적극 추천을 해도 좋을 듯. 앞으로도 계속할 수 있을 것 같다.

여성, 38세

우리는 이렇게 살을 뺐다!

이토록 힘 안 들고 간단한 방법이라면 얼마든지 계속할 수 있다고 많은 사람이 증언한다.

4kg 감량!

밤에는 당질을 먹지 않으며 14일 만에

가족의 도움으로 4킬로그램이 빠졌다! 나 자신도 놀랐다!

애초 생각한 것보다 편히 따라 할 수 있었다. 결과도 좋았기에 대만족. 이 결과는 가족의 도움이 있었기에 가능했다. 덕분에 컨디션 난조도 보이지 않았고 살을 뺄 수 있었다. 체중계에 오를 때마다 수치가 줄어드니 더욱 열심히 하게 되었다. 또한 당질 제한 다이어트를 그만둔 후에도 이전처럼 먹게 되지 않았고 요요 현상도 없어서 새삼 놀랐다.

남성, 40세

아침저녁마다 좋아하는 음식을 먹고도 14일 만에

3kg 감량!

처음엔 점심때 먹을 게 없어 힘들었지만, 습관이 되니 의외로 오래 할 수 있었다.

처음에는 진짜 살이 빠질지 반신반의했다. 하지만 막상 해보니 눈에 띌 만한 결과를 얻었고 단순하면서도 이해하기 쉬운 방식이었다. 지금은 매일 체중계에 올라서는 게 즐거울 정도다. 지금까지 당질이 많이 함유된 음식, 과자를 얼마나 먹었는지 반성하게 해주었다. 평상시의 점심은 외식이든 편의점 음식이든 당질 제한 때문에 특별히 먹을 게 없어서 힘들었지만, 반면에 아침과 저녁은 좋아하는 음식을 먹을 수 있으니 오랫동안 편하게 계속할 수 있었다.

남성, 41세

0.8kg 감량!

실컷 먹으면서 워킹과 스트레칭으로 체중 감량!

처음에는 힘들다고 느꼈지만, 회사 동료들과 함께 시작한 덕분에 서로 격려하면서 꾸준히 실천했다. 체중이 조금이라도 줄면 의욕이 더 솟는 법. 시중에서 파는 음식에도 의외로 당질이 들어간 것이 많다는 사실을 알게 되면서, 평소에 불필요한 당질을 얼마나 많이 섭취해왔는지도 깨닫는 계기가 되었다.

여성, 40세

회사 동료와 서로 격려하면서 7일 만에

Contents

Part 1

지금까지 알고 있던 다이어트 상식은 버려라!

Part 2

단계별 당질 제한 다이어트 시작!

Part 3
당질만 제한하면 황제 식사도 OK!

| 일러두기

☆계량 단위는 1컵=200ml, 큰 술 1=15ml, 작은 술 1=5ml입니다.
☆ 이 책에서는 설탕대신 혈당치를 올리지 않는 라칸토S 등의 감미료를 사용하였습니다.
☆당질량은 탄수화물에서 식이 섬유를 뺀 것입니다.

Part 1

지금까지 알고 있던 다이어트 상식은 버려라!

어떡하든 칼로리 섭취만 줄이면
살이 빠진다? 사실은 그렇지 않다.
눈이 번쩍 뜨이는 다이어트의 새로운 상식!

어느 쪽이 살 빠지는 음식일까?

지금까지 칼로리가 낮은 음식을 먹으면 살이 빠진다고 생각해왔다면 그 상식을 의심해봐야 할 절호의 기회이다. 칼로리만 따지지 말고 당질 함유량이라는 관점에서 새롭게 바라봐야 한다.

BAD

칼로리가 낮은 메밀국수!

영양소는 주로 탄수화물!

칼로리는 266kcal

소스는 깔끔한 맛

면류 중에서도 식이 섬유가 많은 편

1인분은 170g

칼로리를 따지면 단연 살 빠지는 음식은 '메밀국수'라고 생각하는 사람이 많다. 하지만 잘 생각해보길. 메밀국수는 영양분의 대부분이 탄수화물이고 스테이크의 주 영양분은 단백질, 지방이다. 그러니 스테이크는 살찌니까 먹지 말아야지 하는 생각은 접을 것. 다만 스테이크를 먹을 때는 밥이나 빵 같은 주식은 빼고 먹어야 한다. 또한 곁들여 나오는 당근 글라세(설탕물에 코팅한 것)나 감자튀김은 먹지 않는 게 살찌지 않는 비결.

GOOD 단백질과 지방이 풍부한 스테이크!

영양소는 주로 단백질과 지방!

칼로리는 635kcal

소금, 후춧가루의 심플한 맛!

1인분은 150g

스테이크를 먹는데도
살이 빠진다고요?

지금까지 알려진 칼로리 다이어트의 이론으로 생각하면 이해가 안 되는 부분이지만 칼로리와 당질 전환 지수는 다르다. 혈당치를 높이는 당질 지수를 이해하는 것이 필요하다.

메밀국수는 설탕과 마찬가지!

밥, 빵, 국수 같은 탄수화물 식품을 먹으면 설탕과 마찬가지로 체내에서 모두 포도당으로 분해된다. 혈액 중에 포도당이 늘어나고(혈당치를 높인다), 췌장에서 인슐린이 분비되어 포도당을 간이나 근육으로 보낸다. 또한 남아도는 포도당이 지방 세포에 중성 지방으로서 쌓인다. 즉 살이 찐다.

메밀국수를 먹을 경우의 혈당치 변화

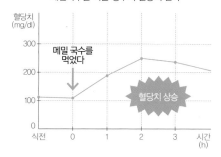

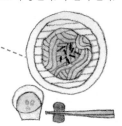

스테이크는 혈당을 높이지 않는다

고기, 생선은 단백질이 주성분. 체내에 들어가면 분해되어 아미노산이 된다. 이 아미노산은 혈당치를 높이지 않기 때문에 스테이크를 먹어도 살찌지 않는다. 단, 밥이나 빵 같은 당질과 함께 먹으면 소용없다. 오히려 혈당치도 높아지고 지방으로 바뀌면서 체중이 늘어난다.

스테이크를 먹을 경우의 혈당치 변화

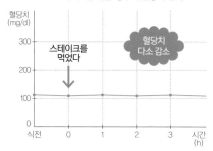

살 빼는 비결은 어쨌든 당질을 줄이는 것!

지금까지의 다이어트 상식은 칼로리 제한이 주류였다. 하지만 살찌는 최대의 원인이 탄수화물로 인한 혈당치의 상승이라는 사실을 깨달으면 오히려 탄수화물의 제한이 살 빼는 비결임을 알게 된다. 밥, 빵, 면 같은 주식은 탄수화물이 주성분이다. 이 같은 음식의 섭취를 되도록 제한함으로써 당질을 떨어뜨리고 동시에 혈당치를 올리지 않는 게 다이어트의 지름길이다. 그 대신 고기나 생선, 달걀이나 두부처럼 당질이 적은 음식을 충분히 먹는다.

당질 제한 식사를 하면 왜 살이 빠질까?

당질을 제한한 식사	당질이 많은 식사
▼	▼
혈당치가 상승하지 않는다	혈당치가 급상승한다
▼	▼
인슐린이 분비되지 않는다	인슐린이 급격히 분비된다
▼	▼
혈액 중의 당이나 지방은 근육으로 보내져 소비된다.	혈액 중의 당을 가차없이 끌어들여 지방으로 바꾼다

GOOD 체중 감소!

체중 증가! BAD

다이어트 기간 중 술은 괜찮을까?

술을 마시면 살이 찐다고? 좋아하는 술을 참자니 너무 괴롭다.
이런 사람은 술에 대해 더욱 알고 싶을지도. 술과 다이어트의 관계, 철저하게 검증해보자.

BAD 술 대신 주스를 마신다!

칼로리는
80kcal

너무 마시면
과하게 당질을
섭취하는 셈

비타민 C가
풍부!

비타민이
많지만
당질도 많다

다이어트 기간 중 술은 살찌는 주범이니 신선한 주스로 대신하겠다는 사람이 있다면 주목하기 바란다. 비타민을 섭취할 수 있는 신선한 주스는 피부에도 좋을 것 같지만, 과일에는 과당이라는 당분이 다량 함유되어 있기 때문에 많이 마시면 다이어트에 도움이 되지 않는다. 오히려 술을 잘 골라서 마시면 편이 낫다. 술이 칼로리가 높다고 걱정하기 쉽지만 당질이 적은 것을 고르면 평소처럼 즐겁게 마실 수 있다.

GOOD 술을 잘 골라 마신다!

와인은 화이트 와인, 레드 와인 어떤 것이든 OK!

당질 제로의 맥주를 마시면 OK!

칼로리는 높지만 체내에 저장되지 않는 엠티 칼로리*다.

소주, 위스키는 증류주니까 당질 제로.

*엠티 칼로리(empty calorie) 영양소 없이 열량만 내는 것.

술을 마시면
살이 빠진다고요?

GOOD

알코올은 혈당치를 높이지 않는다. 또 알코올은 엠티 칼로리라 체내에 축적되지 않는다. 하지만 모든 알코올 함유 음료가 그런 것은 아니니 잘 골라 마셔야 한다.

알코올은 혈당치를 높이지 않는다

'술배'라는 우스갯소리가 있듯이 과음하면 비만이 된다고 걱정하는 사람이 많다. 하지만 술이 직접적인 원인일까? '술=고칼로리'라는 공식은 사실이지만 그보다 중요한 게 당질 함유량이다. 당질이 많은 술을 마시면 혈당치가 올라가기 때문에 비만의 원인이 된다. 이것만 피하면 술을 마셔도 살찌지 않는다.

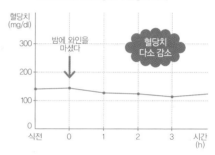

밤에 와인을 마실 경우의 혈당치 변화

혈당치
(mg/dl)

밤에 와인을
마셨다

혈당치
다소 감소

300

200

100

0

식전   0   1   2   3   시간
(h)

와인은 다음 날 아침의 혈당치를
낮추는 효과가 있다

당질이 많은 술은 맥주, 과실주, 소흥주 등이 있다. 그 외에 소주나 위스키, 브랜디 같은 증류주는 당질 제로니까 안심해도 좋다. 또한 와인은 당질이 조금 포함되어 있지만 적당한 양이라면 문제없다. 적당량의 와인은 다음 날 아침 혈당치를 낮추는 효과가 있다. 술을 즐겁게 마시면서 살을 빼도록 하자.

알코올은 엠티 칼로리, 그러니까 안심!

알코올은 고칼로리이지만 엠티 칼로리이기 때문에 체내에서 금세 타버리고 축적되지 않는다. 물론 과음은 피하는 것이 좋지만, 적당량의 술은 혈당치를 낮추기에 오히려 습관화되면 살 빠지기 쉬운 체질이 된다. 이때 술안주도 당질이 적은 음식을 선택하면 안심. 라면이나 달콤한 과자는 혈당치를 급격히 상승시켜 단번에 지방이 쌓이므로 무척 조심해야 한다.

당질 제한 다이어트에 추천하는 술

소주

원료에 당질이 많은 식재료가 사용되지만, 증류함으로써 당질이 소거된다. 희석식 소주보다는 제대로 만든 증류식 소주를 선택하는 것이 좋다.

와인

와인에는 과당이 포함되어 있지만 혈당치를 그다지 상승시키지는 않는다. 씁쓸한 맛을 택하면 화이트 와인, 레드 와인 어느 것이라도 상관없다.

당질 제로 맥주

일반적인 맥주는 당질이 높으니 피하는 게 상책. 당질 제로 맥주라면 마셔도 좋다. 당질 제로 맥주를 구하기 힘들다면 탄수화물 함량이 적은 저칼로리 맥주를 고른다.

위스키

증류로 추출된 위스키는 당질, 지방질, 단백질 제로다. 하이볼(위스키를 소다수로 희석시킨 일종의 칵테일)도 추천한다.

다이어트 기간 중 외식은 괜찮을까?

다이어트를 하려면 '현미 채식이 최고!'라고 생각하지는 않는지?
저칼로리 식단임에는 분명하지만 진짜 살 빠지는 음식일까?

BAD 현미 채식 밥상

무, 당근,
우엉 같은 음식도
당질이 많다

칼로리는
450kcal

현미는
몸에는 좋지만
당질이 많다

비타민,
미네랄이 풍부!

다이어트 중이라면 누구라도 외식하는 게 고민이 된다. 고기나 생선, 달걀은 살찌니까 '채소 중심의 현미 식단이 최고!'라고 생각하는지? 채소나 현미는 비타민이나 미네랄이 풍부하고 저칼로리니까 먹어도 괜찮을 거라고 안심하겠지만 현미도 본질은 쌀이기에 당질이 많다. 그래서 혈당치를 올린다. 또한 당근, 우엉 등도 당질이 많은 편이다. 반면 양고기, 쇠고기, 버터와 생크림 등이 듬뿍 들어간 양식은 칼로리가 높아 꺼리기 쉽지만, 오히려 신경 쓰지 않고 먹어도 된다.

GOOD 양식 풀코스

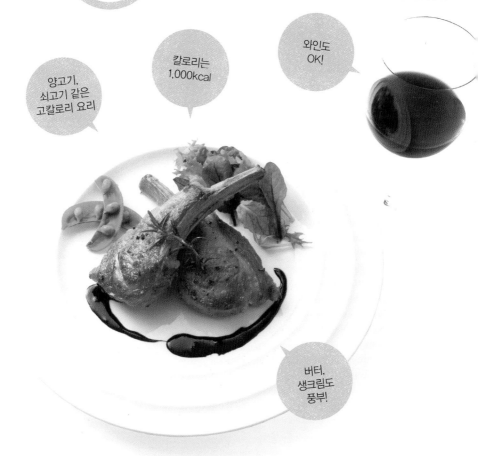

양고기,
쇠고기 같은
고칼로리 요리

칼로리는
1,000kcal

와인도
OK!

버터,
생크림도
풍부!

칼로리 제한 없음!
식용유를 사용해도 OK!

GOOD

지금까지 각종 식용유, 버터, 생크림 등을 꺼린 이유는 칼로리가 높기 때문이다. 새로운 개념의 다이어트는 칼로리보다 당질의 함량이 더 중요하다. 다음 정보를 보면 더 이상 버터를 멀리할 필요가 없다.

식용유, 버터, 생크림을
사용해도 살찌지 않는다!!

지방이 듬뿍 함유된 식용유, 버터, 생크림은 고칼로리 식재료이므로 다이어트 기간 중에는 피하는 게 상식이다. 하지만 당질 제한 다이어트라면 신경 안 써도 된다. 왜냐하면 이러한 유지방류는 당질이 낮고 혈당치를 높이지 않는다. 유지방류가 풍부한 요리도 당질을 빼면 다이어트 기간 중에도 얼마든지 먹을 수 있다.

식용유·버터·생크림의 100g당 칼로리와 당질량

	칼로리	당질
식용유	921kcal	0g
버터	745kcal	0.2g
생크림	433kcal	3.1g

현미 채식은 당질이 높으므로 요주의!

현미에는 섬유질, 미네랄이 풍부하다. 또한 당근, 연근 등이 중심인 현미 채식은 다이어트하는 사람이라면 선호하는 메뉴다. 영양적인 측면에서 보면 물론 몸에 좋다. 하지만 현미나 당근, 연근 등은 당질도 많기에 혈당치를 올린다. 그러니 무작정 안심하고 먹어선 안 된다.

현미·당근·연근 등의 100g당 칼로리와 당질량

	칼로리	당질
현미	350kcal	70.8g
당근	37kcal	6.4g
연근	66kcal	13.5g

스테이크도 튀김도 OK
맛있는 음식을 먹으면서 살 빼자

- -

당질 제한 다이어트에서는 식용유의 칼로리는 신경
쓸 필요 없다. 튀김이나 고기를 먹고 싶을 때 굳
이 참지 않아도 된다.
당질만 빼면 프랑스 요리, 이탈리아 요리도 얼
마든지 맛있게 먹을 수 있다. 또한 튀김도
상관없다. 튀김옷을 제거하고 먹는다면
실컷 먹어도 좋다. 다이어트의 금기 음식
인 튀김, 돈가스, 스테이크도 당질 제한
다이어트에서는 얼마든지 즐길 수 있다.

당질 제한 다이어트를 할 때 안심하고 먹어도 되는 음식

튀김

튀김은 튀김옷이 신경 쓰인다. 만약 집에서 만들어 먹
는다면 시중에서 판매하는 저당질 제품으로 대신한다.
외식할 때는 튀김옷이 너무 두꺼운 것은 피한다.

스테이크

소, 돼지, 양, 닭 등의 고기를 그대로 구워서 소금,
후춧가루로만 간을 한 스테이크는
그야말로 이상적인 음식!

햄버그 스테이크

반죽에 들어가는 빵가루가 신경 쓰이지만
전체에 비해 소량이므로 괜찮다. 외식 시
곁들여 나오는 빵이나 밥은 패스하자!
집에서 만들 때는 빵가루 대신
건조 비지를 이용하자.

고기&채소볶음

당질이 낮은 숙주, 부추 등의 채소와
같이 볶으면 식용유를 써도
안심하고 먹을 수 있다.

돈가스

외식할 때 먹는 돈가스는 튀김옷이
두꺼우니 주의한다. 빵가루 대신
두부 비지를 사용하면 사각거리는
맛과 함께 다이어트 안심!

다이어트 중인데 회식은 어떡해?

과음에 술안주까지 많이 먹으면 단번에 살찔 것 같다. 모처럼의 회식 자리를 빠지려는 당신.
하지만 음식을 고르는 방법만 알면 회식을 부담스러워하지 않아도 된다.

BAD
회식을 거부하고 집에서 간단히 먹는다

먹는 시간은
저녁 8시 무렵

칼로리는
500~600kcal

음식 만들기가
귀찮아, 채소로
대충 때운다

식후 그대로
잔다

회식 때마다 다이어트 중이라고 꽁무니를 뺀 게 한두 번이 아니다. 퇴근하고 집에 돌아와 저녁을 먹는다 해도 오후 8시나 9시는 된다. 피곤하니까 집에 가는 길에 슈퍼마켓에 들러 반찬거리를 사고 집에 와서는 밥과 국, 간단한 채소 정도만 먹는다. 그러나 이런 식사 패턴이 오히려 살찌기 쉬운 경향이 있다. 회식 자리에서도 술과 안주의 종류만 잘 고르면 얼마든지 괜찮다.

GOOD 회식도 즐기는 다이어트!

2차에서도 치즈와 햄을 먹는다

칼로리는 1,500kcal

소주, 하이볼*, 와인은 마셔도 된다

구운 생선, 구운 닭꼬치, 생선회를 먹는다

*하이볼 위스키 원액에 탄산수를 섞은 것.

술안주만 제대로
고르면 당질 제한 OK

GOOD

당질이 적은 술을 골랐다면 안주도 당질이 낮은 것으로 골라 먹자. 술의 종류와 안주를 현명하게 고르는 것만으로도 살찔 고민 없이 술자리를 즐길 수 있다.

다이어트 중이니까
오히려 즐겁게 회식!

당질 제한 다이어트라면 술도 OK, 그러니 회식도 얼마든지 즐길 수 있다. 술을 마실 때는 평소에 먹는 주식을 덜 먹거나 안 먹는 경향이 있기 때문에 다이어트 성공 확률도 높아진다. 게다가 정식과는 달리 단품으로 골라 먹을 수 있기에 당질이 낮은 메뉴를 고를 수도 있다. 단백질과 채소를 중심으로 술안주를 골라보자.

술의 종류와 안주를 현명하게 고른다

술집에는 닭꼬치, 구운 생선, 생선회, 치즈 모둠, 샐러드 같은 당질이 낮은 메뉴가 많다. 제대로 골라서 먹으면 된다. 술은 달착지근한 칵테일, 맥주는 피할 것. 음식에 맞춰 소주, 와인, 위스키를 고른다. 다만 과음은 어떡하든 주의할 것. '적당량'을 늘 의식한다.

당질 제한 다이어트 기간 중 추천하는 술안주

생선구이

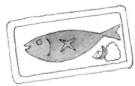

심플하게 소금 간만 한 것이 베스트. 데리야키 소스나 고추장 양념으로 맛을 낸 요리는 당질이 많으니 주의한다.

생선회

생선회는 간장에 살짝 찍어 먹는 것이 좋다. 초고추장은 설탕이 많이 함유되어 있어 당질이 높으니 주의한다.

닭꼬치

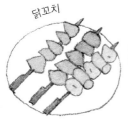

소스는 소금을 택한다. 닭의 간은 빈혈 예방에 좋다.

연두부

두부를 차게 식혀 간장 양념과 함께 먹는다. 건강 유지에 빠질 수 없는 음식이다. 칼로리도 낮다.

푸른 채소 초절임

비타민, 미네랄이 풍부한 푸른 채소를 식초 등에 절인 것을 고른다. 다만 설탕을 들어간 것은 안 된다.

샐러드

감자 샐러드, 마카로니 샐러드는 피하고 참치나 해조류, 두부, 해산물 샐러드를 선택한다.

버섯버터볶음

버섯은 식이 섬유가 풍부하고 저칼로리에 저당질. 버터도 OK.

달걀말이

달걀 요리도 좋은 술안주. 양질의 단백질이 풍부해서 술 마신 뒷끝이 깔끔하다.

어떤 마요네즈가 좋을까?

마요네즈 드레싱은 고칼로리. 그래서 오일이 들어가지 않은 드레싱이나
저칼로리 조미료로 마음이 기울기 쉽다. 그런다고 진짜 살이 빠질까?

GOOD

설탕 없는
마요네즈

BAD

저칼로리
마요네즈

칼로리는 1큰술
100kcal

칼로리는 1큰술
약 50kcal

설탕이 없는
전통 방식

칼로리가
적어서 안심

고칼로리라도
설탕 없는 마요네즈!

GOOD

저칼로리 식품의 함정에 빠지지 말자. 저칼로리 식품과 당질이 낮은
식품은 별개의 문제이다. 당질을 꼼꼼히 따지는 습관을 갖자.

저칼로리 마요네즈는
오일 함유량이 낮은 대신 오히려
당류가 더 추가된 제품이 많다

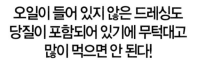

오일이 풍부한 마요네즈는 다이어트의 적이라는
인식이 강하다. 그래서 저칼로리나 저지방 마요네
즈가 시중에도 나와 있지만, 이들 제품 대부분은
당질이 높아서 무턱대고 많이 뿌려 먹으면 혈당
치를 높여 오히려 살이 찐다. 마요네즈를 고르려
면 설탕이 들어 있지 않은 일반적인 마요네즈가
정답이다.

오일이 들어 있지 않은 드레싱도
당질이 포함되어 있기에 무턱대고
많이 먹으면 안 된다!

드레싱도 마찬가지. 시판되는 드레싱에는 대부분
당질이 포함되어 있다. 오일 없는 드레싱도 당질
이 많이 포함되어 있으니 주의할 것. 칼로리가 낮
다고 안심해선 안 된다. 요즘은 당질이 낮은 드레
싱도 판매되고 있으니 현명하게 선택할 것.

다이어트 기간 중 간식은?

다이어트 중에 케이크, 스낵류를 먹는 것은 당연히 금지. 그렇다면 식이 섬유가 많고
저칼로리인 고구마가 좋을까? 아니면 치즈가 좋을까?

GOOD
치즈

칼로리는
310kcal
(카망베르 치즈)

지방질,
칼슘이 풍부

칼로리는
13kcal

BAD
고구마

식이 섬유가
풍부

칼로리, 지방질이 많아도  GOOD
당질이 적은 것을 추천!

채소에도 칼로리는 낮지만 당질이 높은 것이 있다. 대표적인 것이
고구마와 호박이다. 채소 역시 당질이 낮은 것으로 꼼꼼히 챙겨 먹자.

칼로리가 적어도 당질이 많은
고구마, 호박 등은 피한다

식이 섬유와 비타민 C가 풍부한 고구마, 베타 카
로틴과 비타민 E가 풍부한 호박은 칼로리가 낮은
데다 미용에도 좋은 식재료다. 하지만 주의할 점
은 바로 당질의 양. 고구마는 100g 중 37.6g, 호박
은 100g 중 21.6g으로 고당질이다. 그래서 혈당치
를 높이고 중성 지방을 쌓이게 하기 때문에 되도
록 피하는 게 좋다.

간식으로 치즈를!

간식으로 가장 추천하고 싶은 것이 치즈. 치즈는
지방, 칼로리가 높은 반면에 당질이 낮다. 칼슘도
풍부하고 식감도 좋기에 다이어트 중의 불안한
심리 상태를 진정시키는 데도 도움이 된다. 특히
크림치즈에, 라칸토S* 같은 감미료를 뿌려서 먹으
면 간식으로 안성맞춤.

* 라칸토S 한방에서 오래전부터 사랑받아온 '라한과(羅
漢果)'의 고순도 추출물과 천연의 감미 성분 '에리스리
톨(erythritol)'로 만든 칼로리 제로인 감미료.

치즈의 종류

파르메산 치즈
샐러드에 딱 맞다!

가공 치즈
간식으로 최고!

크림치즈
라칸토S 같은 감미
료와 함께 디저트로
먹는다.

카망베르 치즈
그대로 먹거나, 채소와
함께 먹어도 좋다.

코티지 치즈
저칼로리, 저지방이
라 안심!

당질 제한 다이어트,
살이 빠지는 이유?

당질을 제한하면 살이 빠진다는 사실을 이해했다면 이번에는 인체가 살찌는 구조와 혈당치의 관계를 알아보자. 확실한 다이어트 이론을 누구라도 이해할 수 있다.

혈당치가 오르면
중성 지방이 늘어난다

탄수화물을 많이 먹고 혈액 중에 포도당이 늘어나서 혈당치가 오르면 췌장에서 인슐린이라는 호르몬이 분비되고 간, 장, 근육에 포도당이 침투된다(글리코겐이라는 물질로서 축적된다). 더 이상 축적될 수 없으면(즉 용량이 넘치면) 지방 세포에 중성 지방이라는 형태로 차곡차곡 쌓인다. 이게 바로 '살찌는' 것이다.

비만 호르몬의 정체는 인슐린

혈당치가 급격이 오르면 혈당치를 내리려고 췌장에서 다량의 인슐린이 분비된다. 이러한 인슐린이 많을수록 지방 세포에 중성 지방이 축적된다. 이른바 '비만 호르몬'이라고 부르는 것이다. 살찌기 쉬운 타입의 사람은 이러한 인슐린이 다른 사람들보다 더 많이 분비된다고 알려져 있다.

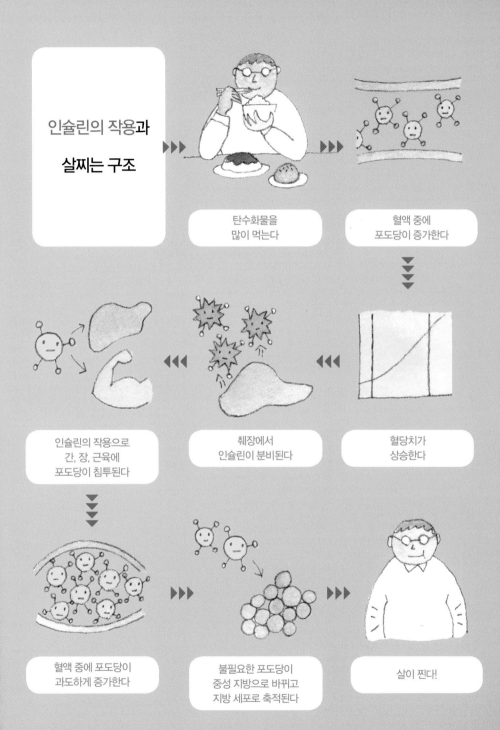

인슐린의 작용과
살찌는 구조

탄수화물을
많이 먹는다

혈액 중에
포도당이 증가한다

인슐린의 작용으로
간, 장, 근육에
포도당이 침투된다

췌장에서
인슐린이 분비된다

혈당치가
상승한다

혈액 중에 포도당이
과도하게 증가한다

불필요한 포도당이
중성 지방으로 바뀌고
지방 세포로 축적된다

살이 찐다!

탄수화물이 많은 식재료 다음 식재료를 제한하면 확실히 살이 빠진다!

밥
주식인 밥은 그야말로 당질의 집대성. 너무 먹으면 비만의 원흉.

파스타, 빵
밀가루로 만들어진 주식. 쌀과 마찬가지로 당질의 집합체.

국수, 우동
다이어트 식품 이미지가 강하지만 국수나 우동도 당질 그 자체.

고구마, 옥수수, 호박
기본적으로 전분질이 많고 특히 단것은 당질이 많으니 주의해야 한다.

과일
귤, 사과, 복숭아, 딸기는 과당이 많다.

토마토, 당근
녹황색 채소도 당도가 높다. 피하는 게 좋다.

과일 주스
당질이 함유된 시판 주스는 물론 직접 갈아 먹는 주스도 과일과 마찬가지로 섭취를 제한한다.

과자, 케이크
과자는 혈당치를 높인다. 케이크도 마찬가지 요주의 식품!

탄수화물을 제한하면
피하 지방이 소비된다!

인슐린이 불필요한 탄수화물을 지방으로 바꿔 저장하기 때문에 체중이 늘어날수록 이러한 작업을 하는 데 많은 인슐린이 필요해진다. 살찌면 대량의 인슐린이 쉬지 않고 혈액 중에 방출된다. 그래서 늘 지방을 몸에 축적시키려는 악순환이 되풀이된다. 한편 탄수화물을 제한하면 인슐린의 분비를 정상으로 되돌려준다. 그러면 지방을 분해하고 뇌, 장기에 에너지를 공급하는 구조가 만들어진다. 즉 당질 제한 다이어트는 인체에 가장 바람직한 다이어트라고 말할 수 있다.

살빠지는 식사

살찌는 식사

스테이크

파르페 등 단맛의
디저트, 과자

샐러드

우동

치즈

전류,
오코노미야키

당질 의존 식생활을 바꾸는 것이
살 안찌는 체질로 만드는 첫걸음!

밥, 빵, 면 혹은 단것을 먹지 않으면 어딘지 허전한 상태를 탄수화물 중
독, 또는 '당질 의존성이 높다'라고 한다. 만일 아무리 먹어도 배가 부르
지 않아 식후에 과자를 먹는 습관이 있다면 인슐린의 분비 이상으로 인
해 비만을 일으킨다고 유추해볼 수 있다. 당질 제한 다이어트로 인슐린
분비를 정상으로 되돌리고 건강하게 살을 빼보자.

당질 제한 다이어트 Q&A ①

당질 제한 다이어트 정말 괜찮을까?
막상 시작해보고 느끼게 된 몸의 변화에 관한 궁금증

Q 신장 장애가 있어도 당질 제한 다이어트가 가능한가?

A 혈액 검사에서 혈청 백신치가 높고 신장 장애가 있는 경우나 활동성 췌장염이 있는 경우는 당질 제한 다이어트 식사가 고단백 & 고지방 식단이므로 삼가는 게 좋다. 또한 경구 혈당 강하제를 복용하고 있거나 인슐린 주사를 맞고 있는 당뇨병 환자는 주치의와 상담할 것.

Q 인슐린이 살찌는 호르몬이라면, 살 빠지는 호르몬도 있나?

A 살 빠지는 데 관계된 호르몬으로는 렙틴 호르몬이 있다. 식욕 중추에 작용해서 배가 부르다는 정보를 뇌에 전달하는 호르몬이다. 천천히 먹으면 렙틴이 분비되면서 배가 부르다는 느낌을 주기에 살이 빠질 수 있다. 반면에 수면 부족이면 렙틴 호르몬이 듣지 않아 오히려 살찌기 쉬워진다.

Q 당질을 먹지 않으면 뇌가 활발해지지 않는다는데, 괜찮은가?

A 밥이나 빵 같은 당질을 섭취하지 않으면 뇌 활동이 둔해진다는 말을 많이 한다. 그 이유는 뇌가 포도당 이외는 이용할 수 없다고 생각하기 때문이다. 실제로는 그렇지 않다. 포도당이 줄어들면 근육이나 간에 축적된 글리코겐으로부터 포도당이 만들어진다.

Q 순조롭게 체중이 빠지다가 갑자기 늘었다. 이유는?

A 우리의 몸에는 체중이 줄어드는 현상을 감지해서 그것을 스톱시키는 메커니즘이 존재한다. 구체적으로 말하자면 기초대사를 떨어뜨려 체중이 줄지 않도록 작용한다. 그럴 때 탄수화물을 섭취하고 싶다는 강한 욕구가 생기니까 잠시 참는 게 좋다. 또한 체중이 줄 때는 계단 형태로 줄어든다는 것을 알아두자.

그것이 알고 싶다!

100g 당 당질량 ①

늘 먹는 주식,
과일의 당질 체크!

곡물류	
밥(흰쌀밥)	36.8g
현미밥	34.2g
식빵	44.4g
프랑스식 빵	54.8g

크루아상	42.1g
호밀빵	47.1g
롤빵	46.6g
난(인도 빵)	45.6g
우동(삶은 면)	20.8g
국수	70.2g
메밀(마른 면)	63.0g
멥쌀 면(마른 면)	79.0g
스파게티(마른 면)	69.5g
중국식 면(생면)	53.6g
삶은 중국 면	36.5g
즉석 중국 면(기름으로 맛낸 것)	61.0g
마카로니(마른 면)	69.5g
떡	49.5g
생 밀기울	25.7g

구운 밀기울	53.2g
밀가루(약한 점성)	73.4g
녹말가루	81.6g
빵가루(마른 것)	59.4g
만두피	54.8g

과실류	
아보카도	0.9g
딸기	7.1g
키위	11.0g
포도	9.0g
바나나	21.4g
사과	13.1g
레몬	7.6g

Part 2

단계별 당질 제한
다이어트 시작!

당질을 제한함으로써 다이어트를
할 수 있다는 사실을 이해했다면
즉시 실천해보자. 3일간, 7일간, 14일간처럼
단계적으로 몸을 적응시키는 게 핵심 포인트다.

당질 제한 OFF 다이어트를 시작하자! 실천편

당질 제한으로 살 빼는 구조를 이해했다면, 다이어트의 포인트를 생각하며 바로 도전해보자!

한 달에 2~3kg,
확실히 빼는 게 이상적

다이어트를 시작하면 단기간에 살을 빼고 싶겠지만 갑자기 무리하는 것은 몸에 좋지 않다. 컨디션도 무너지고 피부는 푸석거리고 기력도 없어진다. 면역력이 떨어지고 감기에 걸리기도 쉽다. 한마디로 몸에 악영향을 끼친다. 몸을 생각하면 한 달에 2~3kg씩 서서히 그리고 확실하게 체중을 줄여가는 방법이 이상적이다. 탄수화물 섭취를 줄이는 당질 제한 다이어트가 천천히 그리고 확실히 살을 뺄 수 있는 방법이다.

Step 1

목표를 설정한다

먼저 체중을 얼마나 줄이고 싶은지 목표를 정한다. 동기 부여를 높이려면 목표 설정은 필수. 체질량 지수(BMI)를 이용해 표준 체중을 계산하고 목표를 정한다. 더욱 날씬하게 살 빼고 싶은 사람은 미용 체중(겉모습이 예쁘게 보이면서도 건강을 해치지 않는 적당한 체중)을 목표로 삼는다.

체질량(BMI) 지수=

체중(kg)÷(키(m)×키(m))

[체질량 지수] 18.5 이상~25 미만이 적당한 수치.
아래의 계산식으로 자신의 표준 체중, 미용 체중을 구해본다.

표준 체중=키(m)×키(m)×22
미용 체중=키(m)×키(m)×20

Step 2

아침과 밤에 각각 체중을 측정, 기록한다

매일, 아침과 밤에 각각 체중을 측정하고 기록한다. 다이어트를 성공으로 이끄는 중요한 포인트다. 하루 2번, 아침에는 화장실 용무를 마친 후에, 밤에는 자기 전에 측정한다. 되도록 일정한 시간에 측정하는 게 중요. 체중의 변화를 알 수 있고 식사 조절이나 다이어트 의욕을 다지는 동기 부여를 해준다.

날짜   나이(   )세   남성□ 여성□ 신장(   )cm

식사 기록		생활 기록(지장을 주지 않는 범위에서 적는다)
아침 (9:00)	생선 오믈렛 구운 생선(소금간 살짝) 시금치&소시지 볶음 배추국	• 컨디션, 수면 시간, 변비, 체온, 생리 • 운동 기록 등 변비 증상 음주 와인 2잔 소주 3잔 운동 기록 등
점심 (13:00)	치킨넛 달걀부침, 시금치 수프 채소 찰치 샐러드	
저녁 (19:50)	닭고기 수프 구운 생선(싱건수) 아보카도 대구살 샐러드 숙주 청대콩 연두부	변비 증상 음주 와인 2잔 소주 3잔
간식		

체중(kg) 매일 일정한 시간에 측정		체지방 매일 일정한 시간에 측정	
아침		아침	
밤		밤	

※ 하루 2회, 일정한 시간에 일정한(비슷한 무게) 옷차림으로 측정한다.
※ 대항목은 화장실 용무가 끝난 후 밤에는 취침 직전에 측정한다.
※ 측정된 체중을 쓴다, 전날의 체중을 기록한다.
※ 기입 누락이 없으면 다이어트 동기 부여가 확실해지나 어떤 형태로든 기입해본다.
※ 몸에 생기는 변화를 그 날 있었던 '일이나 내 내용, 다이어트 방법, 최신 등을 기입한다.
 (그 날 있었던 일을 기록해두면 체중 증감의 단서를 알 수 있다.)

Step 3

주식을 먹지 않는 대신 당질이 적은 식품을 골라 먹는다

먼저 주식을 먹지 않는다. 밥, 빵, 면류 같은 주식을 먹지 않고 반찬만 먹도록 한다. 처음에는 허전함을 느끼겠지만 서서히 익숙해질 것이다. 고구마, 호박, 과일도 당질이 많으니 피한다. 과자는 무조건 먹지 않도록.

037

일단 3일 동안
몸을 적응시킨다

Start

당질 제한 다이어트를 하겠다고 결심했다면 먼저 3일간 실천해본다.
아침, 점심, 저녁 식사로 실천해보면 몸의 변화를 알 수 있다.

3일간은 어쨌든 당질을 제한해본다

3일간은 당질을 확실히 제한하는 게 성공으로 가는 포인트.
밥, 빵, 면류의 주식을 먹지 않고 저당질 식재료를 골라 먹는
다. 처음에는 당질 제한에 저항이 있을지도 모른다. 하지만 최
초의 3일만큼은 무슨 일이 있어도 강한 의지로 밀어붙인다.
하루 당질 섭취량은 30g이 바람직하다.

1일, 2일째는 몸에 변화가 생긴다

늘 당질을 먹던 사람이 갑자기 당질 제한을 하면 두통이 생겨
머릿속이 멍하거나, 몸이 나른해지는 등 변화가 나타날 수 있
다. 또한 혈중의 케톤체 농도가 높아져서 탈수 현상을 일으킬
수도 있으니 수분 섭취를 꼼꼼히 챙길 것.

남성, 41세

3일간 당질 제한 다이어트!!

			식단	체중	기록
1일차	아침	6:30	•낫토 오믈렛 •닭고기 채소볶음	**72.4**kg	드디어 스타트! 변비 증상
	점심	12:30	•햄버그 스테이크 •삶은 달걀 •시금치&베이컨 샐러드		점심때 당질 제한 음식을 찾기가 힘들어 고생함
	저녁	20:00	•치킨&토마토소스 •생선 샐러드 •채소&달걀 수프 **음료** •소주 2잔	**72.0**kg	벌써 0.4kg 감량!
2일차	아침	6:30	•연두부 •치킨&토마토소스 •채소 수프	**71.3**kg	잠시 현기증. 조금 괴롭다 변비 증상
	점심	12:30	•치킨 데리야키&익힌 채소 •달걀말이 •옥수수 수프		오늘도 편의점에서 점심 해결!
	간식	19:30	•과자		나도 모르게 먹음–반성
	저녁	23:40	•생선회/햄버그 스테이크 •브로콜리 샐러드 •콩나물 **음료** •소주 4잔	**70.7**kg	1kg 이상 감량! 끝내주는데!
3일차	아침	6:50	•채소&버섯 수프 •생선 오믈렛 •가공 치즈	**69.9**kg	어제까지의 고통이 사라졌다! (변비 증상 완화)
	점심	12:30	•가공 치즈 •버섯 수프		시간이 없어서 대충 먹음
	간식	19:30	•과자		또 먹었다–반성
	저녁	24:30	•연두부/낫토 •소금연어구이/버섯탕 •달걀말이 **음료** •소주 3잔	**71.0**kg	아침보다 체중 늘었다!

감상 처음에는 적응하느라 꽤 고생했다. 2일째에는 현기증이 잠시 일었지만, 3일째가 되니 다시 컨디션이 회복되었다. 아무튼 3일 만에 1.75kg*이 빠졌으니 놀랍다!

3일간 1.75kg 감량!

* (아침 체중+밤 체중)÷2로 1일 평균을 계산, 1일째와 3일째의 체중 차이를 나타냄

아직 할 수 있다!
7일간, 14일간에 도전!

먼저 3일간 도전해보고 나서 견딜 만하다고 생각하면 다음은 7일까지 계속 이어간다.
그다음은 다시 7일을 늘려서 14일간에 도전한다. 이렇게 단계적으로 기간을 늘려 그 효과를
실감해본다.

3일만 넘기면 놀랄 만큼 몸의 적응도가 빨라진다!

처음 당질 제한 다이어트를 실천하면 다소 몸의 변화를 느끼면
서 괴롭다는 생각도 든다. 하지만 3일만 지나면 놀랄 만큼 몸이
적응한다. 하루에 0.5~1kg씩 빠지는 사람도 있다. 세끼 모두
탄수화물을 먹지 않는 것에 적응되면 편하게 다이어트를 계속
할 수 있다.

7일째에 급속히 체중이 줄어들 수도

3일간 실천해서 몸을 적응시키고 계속해서 당질 제한 다이어트를
해내면 1주간에 1~1.5kg의 감량을 체험할 수 있다. 눈에 띄는 몸
무게 변화야말로 다이어트에 더욱 힘을 쏟게 만든다. 계속할 수 있
다고 생각하는 사람은 14일간을 목표로!

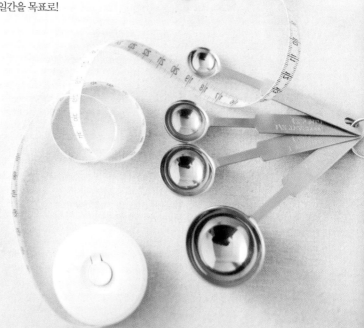

남성, 41세

7일간 당질 제한 다이어트!!

			식단	체중	기록
4일차	아침	9:00	•달걀 오믈렛/연어소금구이 •시금치&소시지 볶음 •채소 수프	**70.6**kg	컨디션 괜찮음 체중도 조금 줄었다! 변비 증상
	점심	15:00	•치킨 너겟/채소&참치 샐러드 •달걀&시금치 수프		햄버거 가게에서 테이크 아웃
	저녁	19:50	•닭고기 수프 •임연수/아보카도 샐러드 •콩나물/연두부 음료 •레드 와인 2잔 •소주 3잔	**71.3**kg	과음, 과식했음 반성
5일차	아침	9:00	•달걀 프라이/참치 샐러드 •비엔나소시지 수프	**70.5**kg	컨디션 양호! 변비 증상
	점심	13:30	•프라이드치킨 1조각/삶은 달걀 •채소 수프		먹을 게 없다
	간식	15:00	•과자		너무 배가 고파 그만
	저녁	19:00	•시저 샐러드/달걀말이 •방어회/닭꼬치(닭 모래집) 음료 •레드 와인 1잔 •소주 2잔	**70.4**kg	술집에서 가볍게 식사
6일차	아침	7:00	•낫토 오믈렛 •햄&상추 샐러드/비엔나소시지	**69.7**kg	꽤 적응된 것 같다 변비 증상
	점심	13:30	•구운 돼지고기/채소 샐러드 •미역 된장국		구운 돼지고기도 맘껏 먹을 수 있는 다이어트!
	저녁	19:20	•훈제 치킨/소시지 •채소 샐러드 음료 •소주 칵테일 1잔	**70.5**kg	조금 피곤 변비 증상
7일차	아침	7:40	•삶은 달걀/햄샐러드 •소시지/옥수수 수프	**69.8**kg	드디어 7일 돌파! 변비 증상
	점심	12:20	•어묵(무, 달걀 포함) •치킨튀김/시금치 무침		어묵으로도 배부르다
	저녁	20:00	•브로콜리&참치&달걀 샐러드 •고기 두부/시금치 베이컨 볶음 음료 •소주 5잔	**70.7**kg	과음(반성)

감상 당질 제한 다이어트에 익숙해졌다. 순조롭게 체중도 빠져 기분 좋다.

7일간 약 2kg 감량!

* (아침 체중+밤 체중)÷2로 1일 평균을 계산, 1일째와 7일째의 체중 차이를 나타냄

남성, 41세

14일간 당질 제한 다이어트!!

			식단	체중	기록
8일차	아침	9:00	●브로콜리&참치&달걀 샐러드	**69.8**kg	냉장고에 먹을 게 거의 없다. 변비 증상
	점심	15:00	●치킨 너겟 ●양상추 샐러드		햄버거 가게에서 해결
	저녁	21:30	●생선구이(갈치)/두부 샐러드 ●새우튀김/방어회 ●무찜 요리 음료 ●소주 물 타서 6잔	**70.4**kg	회식 자리에서 실컷 먹고 마셨다
9일차	아침	7:00	●닭튀김	**69.3**kg	체중 감소 실감! 변비 증상
	점심	13:30	●삶은 달걀/어묵 ●치즈 포테이토 수프		고속 전철로 이동 중 점심 먹을 게 없다
	간식	17:40	●과자		너무 배가 고파 그만
	저녁	19:00	●돼지고기 수육&채소 ●낫토 음료 ●소주 3잔	**70.3**kg	반찬이 모자라 낫토로 대신
10일차	아침	7:10	●고기 두부 ●채소&새우 수프	**69.5**kg	위에는 부드러운 두부가 좋다
	점심	13:30	●닭가슴살 샐러드 ●옥수수 수프		오늘도 점심을 천천히 먹을 시간이 없었다
	저녁	24:30	●새우 샐러드/문어무침 ●시금치 볶음/고기 두부 ●삶은 달걀 음료 ●당질 제로 맥주 1캔 ●레드 와인 3잔 ●소주 2잔	**70.4**kg	변비 증상
11일차	아침	6:50	●연두부 ●가공 치즈	**70.1**kg	아침에 뭘 먹을지 고민 변비 증상
	점심	13:30	●토마토 바질 수프 ●치즈 어묵		고속 전철로 이동 중 먹을 게 없다
	저녁	20:00	●채소 무침/참치 볶음 ●새우 채소 수프 음료 ●소주 7잔	**70.0**kg	음주량이 늘었다

			식단	체중	기록
12일차	아침	8:40	•연어구이 •채소 수프 •채소 무침/어묵 오믈렛	**68.9**kg	체중이 다시 줄었다!
	점심	13:10	•양파 수프 •두부 샐러드		변비 증상이 신경 쓰임
	저녁	20:10	•참치회/게살 오믈렛 •시금치&베이컨 볶음 •돼지고기 수프 음료 •당질 제로 맥주 2캔 •소주 5잔	**70.3**kg	과식 탓인지 조금 체중이 늘었다
13일차	아침	6:50	•돼지고기 수프 •가공 치즈	**69.3**kg	돼지고기 수프를 많이 먹어 배부름
	점심	14:30	•로스구이 •달걀 수프/샐러드		음식점에서 밥은 먹지 않았다
	저녁	24:20	•돼지고기&브로콜리&숙주 볶음 •달걀 수프 •낫토/치즈 음료 •소주 칵테일 1잔 •소주 5잔	**70.2**kg	잠자리 든 시간은 새벽 4시 20분
14일차	아침	6:40	•닭고기&채소 수프/낫토 오믈렛 •시금치&베이컨 볶음	**69.4**kg	오늘이 마지막 날! (변비 증상)
	점심	12:20	•옥수수 수프		오늘도 바빠서 제대로 못 먹음
	저녁	20:00	•닭고기, 채소, •두부&뭇국 •연어구이/치즈 음료 •당질 제로 맥주 1캔 •소주 5잔	**69.6**kg	최종적으로 약 3kg 감량!

감상 마지막 1주간은 마땅히 먹을 게 없어서 고생했다. 한때 갑자기 체중이 원래대로 되돌아왔지만, 마지막에는 감량했기에 기분이 좋았다. 공복감 혹은 컨디션을 망가뜨리지 않고도 2주간에 약 3kg*을 감량할 수 있다는 사실에 놀랐다.

14일간 약 3kg 감량!

*(아침 체중+밤 체중)÷2로 1일 평균을 계산. 1일째와 14일째의 체중 차이를 나타냄

체중이 점차 줄어드는 게 실감나는 즐거운 다이어트

당질 제한 다이어트는 당질이 높은 음식 섭취만 피하면 체중을 측정할 때마다 체중의 변화를 알 수 있기에 즐겁게 다이어트에 도전할 수 있다. 어떤 다이어트 방식이라도 반드시 체중 감소가 멈추는 정체기를 가진다. 그 이유는 우리의 몸은 체중이 줄면 스스로 체중 감소를 멈추게 하는 메커니즘이 있는데, 기초대사를 낮추어 체중이 줄지 않도록 작동한다. 이 고비만 넘기면 반드시 체중이 다시 줄기 시작한다. 끈기를 가지고 버텨보자.

갑작스런 당질 제한이 힘든 사람을 위한
헬프 프로그램

갑자기 당질 제한을 하려니 아무래도 무리라는 사람들을 위한 헬프 프로그램을 소개한다.
효과가 빠르게 나타나지 않지만 무리하지 않고 천천히 진행하다 보면 몸이 적응한다.

아침, 점심은 탄수화물을 적게, 저녁은 당질 제한

당질을 단번에 빼는 데 저항감을 느낀다면, 아침과 점심은 밥을 적게
먹고 저녁은 당질을 제한한다. 또한 쌀밥보다는 혈당치 상승이 천천
히 이루어지는 현미, 잡곡을 추천한다. 아침, 점심은 밥의 양을 1/2로
줄여 몸을 적응시킨 뒤 이후 천천히 줄여간다. 저녁은 주식없이 먹을
수 있는 일품요리를 중심으로 당질 제한을 한다. 술은 마셔도 되지만
와인, 소주, 당질 제한 맥주가 좋다. 간식을 먹어도 좋지만 이 또한 당
질이 적은 것을 선택한다. 가령 과자도 1/2로 줄이도록 해보자.

운동으로 지방을 연소시킨다

아침과 점심에 밥을 먹고 간식을 먹는 만큼 운동한다. 워킹, 러닝 같은
유산소 운동이 효과적이다. 밥 등 당질을 먹은 후 되도록 바로 10분이
고 20분이고 걷는 게 효과적. 그러면 몸속의 당질을 소비시킬 수 있다.

익숙해지면 아침이나 점심도 탄수화물 제로로 해본다

처음에는 탄수화물 제로 식단이 괴롭지만 1주만 지나면 서서히 적응된다. 저녁의 당질 제한에 익숙해지면 아침에도 가능해진다. 점심에는 도무지 힘들다면 조금씩 주식(밥이나 국수 등)의 양을 줄이면서 당질이 많은 식재료도 의식적으로 피하도록 애쓴다. 그러면 조금씩, 확실히 체중이 준다는 사실을 실감하게 된다.

헬프 프로그램 식사의 예

- 현미 밥(되도록 평소의 절반)
- 바지락국
- 연어 구이
- 시금치 무침

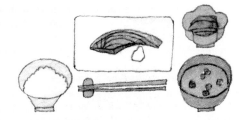

- 국수 채소 볶음
(채소를 주로 먹고 국수는 반만 먹는다)
- 달걀국

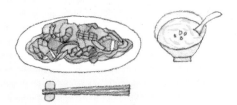

- 귤 1개

- 고기구이
- 시푸드 샐러드
- 삶은 콩
- 소주(얼음과 함께)

살 빼기에 박차를 가한다!
당질 제한 다이어트를 반드시 성공시키는 비결

막상 당질 제한 다이어트를 시작해보니 뜻대로 되질 않고 여러 의문도 생긴다.
그 의문을 해결하는 것이 다이어트 성공의 지름길.

당질 제한 다이어트의
고민거리 BEST 3

변비 증상으로 체중 감량이 눈에 띄지 않는다

주식을 먹지 않으니 변비가 심해졌고 그 탓인지 체중 감량이 눈에 띄지 않는다.

생리 전에 체중이 늘어난다

생리 시작 전에는 갑자기 체중이 불거나 식욕이 당기는 게 일반적이다. 열심히 따라 했지만 체중이 줄지 않았다고 실망하지 말고 신체의 변화에 맞춰 잘 조정하면서 극복해보자.

생각보다 체중이 줄지 않는다

저당질 식재료만 골라 먹었고 주식을 완전히 바꿨는데도 왜 살이 안 빠지지?

변비 증상으로 체중 감량이 눈에 띄지 않는다

 해결 방법 물을 하루에 2리터 이상 마실 것

변비의 원인은?

어떤 방식의 다이어트라도 변비는 따라다닌다. 특히 밥, 빵의 양을 줄이거나 안 먹으면 거기에 포함된 식이 섬유 섭취량도 줄어들어 변비가 생기기 쉽다. 이 문제를 해결하려면 지금까지 이상으로 식이 섬유가 많은 채소, 해초류를 먹을 필요가 있다. 수용성과 불용성의 식이 섬유를 균형 있게 먹는다.

수분 섭취가 중요!

식사를 통해 섭취하는 수분량이 줄어들면 장의 수분량도 감소해서 변비를 일으킨다. 그러니 다이어트 중에는 하루 2리터 이상 물을 마셔야 한다. 늘 의식적으로 물(차 종류도 상관없다)을 마시도록 신경 쓴다. 아침에 일어나자마자 혹은 식사 중에도 찬물을 단번에 마시면 배변이 촉진되면서 살 빠지기 쉬운 체질로 바뀐다.

식이 섬유를
많이 포함한 식재료

콩
콩에는 변비 해소에 효과적인 불용성 식이 섬유가 많이 포함되어 있다.

우엉
채소 중에서도 식이 섬유 함유량이 높다. (100g 당 5.7g)

버섯
저칼로리에 식이 섬유도 함유하고 있으니 많이 먹어둔다.

해조류
수용성 식이 섬유가 많이 포함되어 있으니 콩과 우엉을 곁들여 먹는다.

곤약
수용성 식이 섬유인 글루코만난을 많이 포함하고 있고 포만감이 높다.

고민 **2**위

생리 전에 체중이 늘어난다

 해결 방법 **여성 호르몬의 시스템을 알아둔다**

살 빠지는 호르몬과 살찌는 호르몬이 있다?

생리 전 1주간은 여성 호르몬인 프로게스테론이 많이 분비되는데, 생리 전 증후군(나른함, 초조함, 불안)으로 컨디션이 나빠지면서 살 빼기가 쉽지 않다. 식욕이 생겨 살찌기 쉬울뿐더러 부기가 생기기 쉽고 체중도 늘어난다. 반면에 또 하나의 여성 호르몬인 에스트로겐이 많이 분비되는 시기는 다이어트 효과가 높다고 알려져 있다.

생리 기간일수록 고기 요리를 많이 먹는다!

이 시기는 식욕을 억제시키기가 어렵지만, 이왕 배를 채우려면 고기를 많이 먹는다. 닭고기는 빈혈에 효과가 없으니 쇠고기, 돼지고기, 양고기처럼 철분이 많은 고기를 추천한다. 생리 후의 빈혈 치료에 큰 효과가 있다. 다이어트에 힘든 시기인 생리 기간도 극복하고 동시에 빈혈도 치료할 수 있는 고기 요리가 이상적인 식사.

생리 주기, 여성 호르몬, 신체의 사이클(28일 주기인 경우)

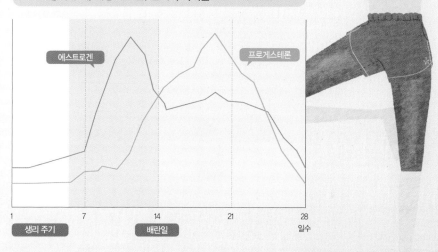

에스트로겐

프로게스테론

| 1 | 7 | 14 | 21 | 28 |

생리 주기   배란일   일수

생각보다 체중이 줄지 않는다

해결 방법 ▶ 유산소 운동, 근육 운동을 병행 실시

식후 바로 걷는 게 가장 효과적!

워킹, 조깅처럼 유산소 운동을 하면 당질을 바로 소비시켜 속공 효과를 노릴 수 있다. 워킹도 빨리 걷기가 효과가 크다. 또한 식후 바로 걷는 게 이상적. 그 이유는 포도당이 지방(중성 지방)으로 바뀌기 전에 소비할 수 있기 때문. 이른 아침의 1시간 걷기보다 식후 10~20분간의 파워 워킹이 훨씬 효과적이다.

유산소 운동과 근력 트레이닝(무산소 운동)을 함께!

근력 트레이닝으로 근육을 만들면 탄수화물을 먹어도 살찌지 않는 체질이 된다. 탄수화물 섭취로 혈액 중에 증가한 포도당은 장, 간, 근육으로 흡수된다. 하지만 포도당이 남아돌면 지방 세포에 중성 지방으로 쌓인다. 근육을 늘리면 이러한 중성 지방을 크게 줄일 수 있다. 당질을 소비하는 유산소 운동과 더불어 근력 트레이닝을 병행하는 게 최고로 좋다.

추천하는 운동

걷기 유산소 운동의 대표 격. 아침 일찍 일어나 1시간 걷기보다 식후 10~15분간 걷는 것이 더 효과적이다.

달리기 걷기 운동으로 부족하다면 달리기를 추천한다. 처음에는 무리하지 않는 범위에서 시간을 정해 차츰 속도를 올리면서 달려본다.

에어로빅·덤벨 보다 격렬하게 몸을 움직임으로써 지방을 연소시키는 데 적합한 유산소 운동. 덤벨 운동도 같이 하면 효과를 더 볼 수 있다.

수영 다리와 허리에 부담이 적고 물의 부력과 저항을 이용한 전신 운동. 오래 지속할 수 있다는 장점이 있다.

자전거 타기 피곤하지 않고 오랜 시간 계속할 수 있는 유산소 운동. 피트니스 센터의 사이클 머신을 이용해도 좋다.

당질 제한 조리 포인트

당질 제한 요리 시 어떤 점에 신경 써야 할까? 요리법과 조미료 사용 등의 포인트를 짚어본다.

스스로 만들어 먹는 게 최선!
조리 요령을 알아보자

당질 제한 다이어트의 첫째 포인트는 '당질이 적은 식재료'로 조리하는 것. 시중의 반찬, 외식 메뉴 등은 당질 함유량을 알기 어렵기 때문이다. 스스로 저당질의 식재료를 골라 맛있게 조리해서 먹기를 추천한다. 당질만 제한한다면 어떤 요리도 좋으니, 조리 요령을 파악해 맛있는 다이어트를 시작해보자.

요리법은?

튀김도 볶음도 가능!

일반적인 다이어트는 칼로리 중심이라 저지방 식재료를 고른다. 그래서 채소 중심으로 치우치기 쉽지만, 당질 제한 다이어트는 고기, 지방을 신경 쓰지 않아도 된다. 조리 방법도 튀김, 볶음도 개의치 않고 먹을 수 있다. 한 가지 주의할 점은 튀김옷에 사용되는 밀가루다. 밀가루 대신에 두부 비지를 사용한다(52쪽 참조).

조미료는?

맛내기는 심플하게

일반적으로 사용하는 조미료에는 당질이 많이 포함된 경우도 있다. 또한 설탕 이외에도 토마토케첩, 소스, 루(밀가루를 버터로 볶아 조리한 것. 카레, 스튜, 소스 등의 재료)에도 주의할 필요가 있다.

설탕 대신에 라칸토S처럼 혈당을 올리지 않고 칼로리가 낮은 감미료를 사용하는 것이 좋다. 소금, 간장, 후춧가루로 심플하게 맛을 내는 게 제일 좋다.

비싸긴 하지만 인공 감미료보다는 천연 재료를 사용한 제품을 권한다. 천연 재료로 만들었기에 안전하고 칼로리도 없고 혈당치 상승치도 없다.

추천하는 조미료

라칸토S

스테비아 스위트

*라칸토S, 스테비아스위트: 0kcal

제품명	제조 회사	열량
그린스위트	대상 청정원	설탕의 1/5
네오스위트	(주)보락	설탕의 1/7
화인스위트	CJ	설탕의 1/5

GOOD 조미료

- 마요네즈
- 식용유
- 버터
- 소금
- 후춧가루
- 된장
- 식초
- 토마토퓌레
- 향신료

BAD 조미료

- 우스터 소스
- 돈가스 소스
- 굴 소스
- 토마토케첩
- 맛술·맛술풍 조미료
- 초간장
- 설탕
- 고기 소스, 전골 소스
- 카레 루(고형), 스튜 루
- 스위트 칠리 소스
- 고추장

튀김옷은 어떻게?

두부 비지로 손쉽게 당질 제한!

튀김이나 돈가스 등의 요리는 튀김옷이나 빵가루가 문제다. 튀김옷이 되는 밀가루, 빵가루는 당질이 많기 때문에 당질 제한 식재료로 쓸 수 없다. 그렇다고 튀김옷이나 빵가루를 포기할 수는 없는 노릇. 이를 대신할 식재료로 두부 비지를 활용해보자. 튀김옷을 만들거나 햄버거 패티 등을 뭉칠 때 두부 비지를 사용하고 빵가루가 필요할 경우는 두부 비지를 오븐이나 전자레인지를 이용해 건조하여 사용하면 좋다. 사각거리는 식감이 아주 뛰어나다.

※두부 비지는 두부를 만들고 난 찌꺼기로 순두부 전문점이나 재래시장의 두부집에서 구할 수 있다.

건조 비지 만드는 법

빵가루 대신에 사용할 건조 비지를 직접 만들어보자. 두부 비지를 편평하게 편 뒤 150도로 예열한 뜨거운 오븐에서 30분가량 건조시킨다. 도중에 두 번 정도 휘저어주면 골고루 건조된다. 입자가 가는 건조 비지가 필요하면 믹서에 갈아주면 된다. 밀폐 용기에 넣어 냉동 보관하면 한 달은 문제없다.

※프라이팬에 넣어 중불에서 물기가 없어질 때까지 볶아도 된다.

| 두부 비지를
편평하게 편다 | 150℃로 예열한 오븐에서
30분간 건조시킨다 | 도중에 2회 골고루
휘저어주는 게 포인트 | 입자가 가는 건조 비지가
필요하면 분쇄기로 간다 |

두부 비지를 응용한 요리

튀김옷	빵가루 대용	화이트소스	튀김 요리	햄버거 패티
레시피 80쪽	레시피 84쪽	레시피 120쪽	레시피 105쪽	레시피 86쪽
닭다리튀김	건조비지돈가스	달걀그라탱	오징어호박튀김	건조비지햄버거

메뉴 조합은?

저당질 식재료, 단백질을 중심으로 채소를 균형 있게

아침, 점심, 저녁 메뉴의 포인트는 고기, 생선, 두부처럼 단백질을 중심으로 하되, 저당질의 푸른 채소, 콩나물(숙주), 양상추 같은 채소를 균형 있게 추가한다. 즉 메인(주로 먹는 것)과 서브(곁들여 먹는 것)의 조합이다. 밥을 먹지 않는 것이 습관화되지 않았다면 두부도 추가할 것. 또한 건더기가 많이 들어간 국을 같이 먹으면 더욱 포만감을 얻을 수 있다.

메뉴 조합의 예

주식 참돔다시마찜
레시피 103쪽

\+

주식 경수채볶음
레시피 139쪽

\+

주식 콩나물쇠고기국
레시피 135쪽

식사 순서는?

채소처럼 식이 섬유가 많은 것부터

조금이라도 밥, 빵을 먹고 싶으면 그 전에 채소처럼 식이 섬유가 많은 것부터 먹는 게 좋다. 그러면 나중에 먹은 탄수화물의 흡수가 부드러워지고 혈당치가 오르는 게 더디어진다. 또한 똑같은 양의 탄수화물이라도 나눠서 먹으면 살찌지 않는다. 점심을 먹고 나서 케이크, 과자가 먹고 싶은 충동을 못 이기겠다면 적어도 두세 시간 지난 후에 먹는다.

당질 OFF 제한을 위한 아침 • 점심 • 저녁 식단

일째

아침
달걀 요리를 메인으로, 풍부한 채소 식단과 함께 포만감을 더하자!

아침의 조리 포인트는 간단하게 만들 수 있으면서 포만감을 느낄 수 있도록 하는 것. 또한 단백질을 많이 섭취하는 것도 하루의 활동 에너지로서 중요하다. 전날에 바지락두유수프만 만들어두면, 아침에 치즈 오믈렛과 샐러드만으로 OK. 밥이 없다는 사실을 잊을 만큼 포만감이 있는 식사다. 드레싱도 몇 종류를 미리 만들어두면 늘 손쉽게 샐러드를 먹을 수 있다.

주식	낫토치즈오믈렛	레시피	119쪽 참고
서브	양상추샐러드	레시피	130쪽 참고
국, 수프	바지락두유수프	레시피	109쪽 참고

점심

먹음직스런 도시락으로
직장에서 런치를 즐긴다!

당질 제한 다이어트 기간 중에는 점심이 늘 고민거리. 직장인이라면 점심은 외식을 하게 마련인데 당질 제한식으로 먹을 게 마땅치 않고 외식 메뉴에 포함된 당질량을 알 수가 없으므로 자칫 당질을 과잉 섭취할 수가 있다. 수고가 따르겠지만 스스로 당질 제한식을 만들어 도시락을 싸는 것이 가장 안심. 당질량이 낮은 재료로 도시락을 차곡차곡 채워보자.

주식	돼지고기생강구이	레시피	85쪽 참고
서브	참치감자샐러드	레시피	107쪽 참고
서브	숙주닭가슴살무침	레시피	135쪽 참고

저녁

레드 와인을 곁들여
즐기는 스페셜 디너

식감이 쫀득거리는 고기,
배부를 때까지 맘껏 먹어보자!

와인은 혈당치를 낮추고 살찌는 것을 방지해준다.
마실 바에는 매일 적당량을 계속해서 마셔 살 빠지
는 체질을 만들어보자. 다이어트한다고 술안주를
피하는 사람도 많겠지만, 기본적으로 고기는 OK.
좋아하는 와인에 곁들일 안주를 만들어본다. 샐러
드, 채소 볶음도 균형을 잘 맞춘다. 거기에 와인을
곁들이면 만족감이 한층 높아진다.

주식	돼지갈비오븐구이	**레시피** ▶ 85쪽 참고
서브	시저샐러드	**레시피** ▶ 127쪽 참고
서브	호박파프리카볶음	**레시피** ▶ 153쪽 참고
술	레드 와인	

메뉴 조합 응용의 예

주식	닭다리채소구이 **레시피** ▶ 81쪽 참고	
서브	바냐카우다 **레시피** ▶ 154쪽 참고	
서브	튀김두부양상추 샐러드 **레시피** ▶ 126쪽 참고	
술	레드 와인	

아침

바쁜 아침에는
튀김두부로 볼륨 업!

2일째

요즘 당질 제한 식재료로 주목을 한 몸에 받는 튀김두부. 두부를 튀겼을 뿐이지만 식감도 좋고 배도 든든히 채워준다. 칼로리만 따지면 위험(?)하지만, 당질 제한 다이어트라면 개의치 않고 실컷 먹을 수 있다. 영양 균형도 고려해서 비타민, 미네랄이 풍부한 쑥갓과 베이컨 볶음도 추가한다. 이것만으로 훌륭한 아침 식사가 된다.

주식 튀김두부생강구이 레시피 117쪽참고

서브 베이컨쑥갓볶음 레시피 94쪽참고

 점심 # 튀김도 점심으로 먹을 수 있다!
채소도 실컷 먹고 달걀말이도 OK!

다이어트 중이라 튀김을 먹는 건 무리라고 생각하는 사람도 당질 제한 다이어트라면 문제없다.
튀김옷을 밀가루나 빵가루 대신 두부 비지로 입히면 안심. 또한 칼슘이 풍부한 새우 같은 반찬
을 추가하면 영양 균형도 나무랄 데 없다. 진한 맛의 튀김에 부드러운 맛의 달걀말이를 더하면
맛의 균형도 잡힌다.

| 주식 | 닭다리튀김 | 레시피 | 80쪽 참고 |

| 서브 | 청경채새우볶음 | 레시피 | 137쪽 참고 |

| 서브 | 멸치달걀말이 | 레시피 | 121쪽 참고 |

오늘은 친구들을 집에 불러 파티!

새롭고 상큼한 술안주에 친구들도 환호할 듯!

다이어트 중이라며 회식, 파티를 꺼려하지 말고 당질 제한 술안주를 듬뿍 만들어 한 상 차려내면 친구들의 눈이 휘둥그레질 것이다. 친구들을 위해 바게트와 함께 익힌 간(肝) 요리도 내놓으면 좋을 듯.

주식	유부피자 레시피 ▶ 117쪽 참고
서브	오징어호박튀김 레시피 ▶ 105쪽 참고
서브	루콜라강낭콩샐러드 레시피 ▶ 128쪽 참고
서브	생햄가지말이 레시피 ▶ 95쪽 참고
술	레드 와인

메뉴 조합 응용의 예

주식	고등어허브구이 레시피 ▶ 101쪽 참고
서브	바지락양배추 와인찜 레시피 ▶ 109쪽 참고
서브	호박치즈구이 레시피 ▶ 153쪽 참고
술	레드 와인

일째

아침 건더기를 듬뿍 넣은 수프와 간 요리로 비타민, 미네랄이 풍부한 식단

아침으로는 역시 수프가 맛있다. 당질 제한 식재료를 충분히 넣어 끓이면 금세 일품요리 완성. 소시지, 베이컨은 저당질 식품이니 안심하고 먹어도 된다. 다이어트 기간 중 부족해지기 쉬운 철분을 보충할 수 있는 간 요리도 적극 권한다. 바케트를 먹고 싶은 마음을 떨쳐내고 그 대신 치커리를 넣은 수프로 포만 감 있는 아침 식사를 즐기자.

주식 콩소시지수프 `레시피` ▶ 95쪽 참고
서브 간페이스트 `레시피` ▶ 93쪽 참고

밥이 먹고 싶으면
두부를 볶아서 도시락으로

점심

밥이 그리워질 때 대타 역할을 톡톡히 하는 식재료가 바로 두부다. 두부를 볶아 으깬 다음 간장을 살짝 뿌려 먹으면 의외로 포만감이 크다. 여기에 채소 샐러드를 첨가하면 맛의 균형도 으뜸! '밥 대신에 볶은 두부'. 이 메뉴를 꼭 기억해두자.

| 주식 | 두부밥 레시피 115쪽 참고 |
| 서브 | 오이셀러리무샐러드 레시피 129쪽 참고 |

3일째

저녁

만족도가 제일 높은 것은 찌개 종류

당질 제로 맥주를 곁들인 즐거운 한때

어패류와 각종 채소, 버섯 등을 듬뿍 넣어 끓인 찌개는 가장 손쉽게 만들 수 있는 당질 제한 메뉴다. 되도록 당질이 낮은 식재료를 고르면 많이 먹어도 상관없다. 반주를 하고 싶다면 당질 제한 맥주를 권한다.

주식	대구바지락전골	레시피 ▶ 148쪽 참고
서브	두부피단샐러드	레시피 ▶ 113쪽 참고
술	당질 제로 맥주	

메뉴 조합 응용의 예

| 주식 | 쇠고기양상추쌈 |
| | 레시피 ▶ 91쪽 참고 |

| 서브 | 문어치즈샐러드 |
| | 레시피 ▶ 104쪽 참고 |

| 서브 | 버섯참치캔오븐구이 |
| | 레시피 ▶ 141쪽 참고 |

| 술 | 당질 제로 맥주 |

식품 성분 표시 읽는 법

성분 표시 읽는 방법을 알아두자.

당질 제한 다이어트의 성공 비결은 식품에 포함된 당질량을 확인해 저당질 식품을 고르는 것.

원재료와 영양 성분은 꼭 체크

슈퍼마켓, 편의점에서 식품을 구입할 때는 포장지의 앞면 혹은 뒷면에 표시된 원재료, 영양 성분표를 반드시 체크하자.

영양 성분표는 칼로리, 나트륨, 탄수화물(당류), 지방(포화 지방, 트랜스 지방), 콜레스테롤, 단백질의 6가지 항목의 표시 의무가 필수로 규정되어 있다.

check!

원재료 표시의 예

가공식품에 무엇이 함유되어 있는지 알려면 원재료 표시가 중요하다. 식품 가공물과 원재료로 구분되는데, 원칙상 사용되는 모든 원재료가 기재된다.

> **제품명**: 장충동 부드러운 손살 족발
> **원재료명 및 함량**: 돈육(족) 97.4%(돼지고기 수입산), 마늘 0.5%(국산), 천일염, 양파 0.4%(국산), 물엿, 소주, 생강, 된장, 둥글레, 감초, 계피, 신초, 발효식초, L-글루타민산나트륨(향미증진제)

함량이 많은 순서대로 기재된다

사용된 원재료, 식품 첨가물들 중 함량이 많은 순서대로 기재된다. 설탕, 밀가루 등이 포함되었는지 알 수 있다.

감미료 종류에 주목한다

당은 여러 종류가 있다. 설탕, 감미료 등이 표시된다. 감미료의 종류도 표시되어 있으니 체크해본다.

식재료명을 보고 고당질인지를 판단한다

함량이 많은 순서대로 표시되므로 처음에 설탕이나 밀가루, 감자 등의 고당질 식재료가 기재되면 요주의!

당질 제로와 당류 제로의 차이에도 주의가 필요

당에는 여러 종류가 있는데 단당류, 이당류(설탕은 이당류로 포도당+과당), 합성 감미료, 다당류, 당알코올* 등이다. 이 중에 당류로 분류되는 것은 단당류와 이당류뿐이다. 그러므로 '당류: 0g'이라고 표시되어 있더라도 다당류, 당알코올, 합성 감미료가 포함되어 있을 수 있으므로 주의해야 한다. 영양 정보에 식이 섬유가 표시되어 있다면 탄수화물에서 식이 섬유를 빼서 당질량을 계산할 수 있다.

* 당알코올: 에리스리톨처럼 끝에 '톨'이 붙는 것으로, 당알코올은 당혈당치를 높이지 않아 다이어트에 적합하다.

영양 정보 표시의 예(필수 표시)

영양 정보	총 내용량 000g 000kcal
총 내용량 당	1일 영양 성분 기준치에 대한 비율
나트륨 00g	00%
탄수화물 00g	00%
당류 00g	
지방 00g	00%
포화 지방 00g	00%
트랜스 지방 00g	
콜레스테롤 00mg	00%
단백질 00g	00%
1일 영양 성분 기준치에 대한 비율(%)은 2,000kcal 기준이므로 개인의 필요 열량에 따라 다를 수 있습니다.	

영양 정보 표시는 총 내용량 당(포장 당), 100g당 혹은 단위 내용량 당을 기준으로 표시

영양 성분은 총 내용량, 100g당, 혹은 단위 내용량을 기준으로 표시한다. 과자류의 경우는 총 내용량을 표시하고 1회분을 따로 표시하는 경우가 있는데 전체량에 비해 현저히 낮은 열량 등을 보고 착각하지 않도록 하자.

탄수화물 및 당류 수치 체크

신경 써서 체크할 부분은 탄수화물 및 당류 함유량. 당류량이 낮은 것을 고르되 여기에는 다당류나 합성 감미료가 포함되지 않으므로 당류가 0g이라고 표시되어 있더라도 당질이 전혀 없는 것이 아니므로 안심하여 많이 섭취하는 것은 금물.

식이 섬유의 수치에도 주목

식이 섬유는 인간의 소화 효소로는 소화시킬 수 없어 섭취하면 배설 작용도 좋아지고 다이어트에도 효과적이다. 식이 섬유량이 표시되어 있다면 이것도 꼼꼼히 체크!

외식 · 편의점 당질 제한 포인트

어렵다면 편의점이나 외식 메뉴로도 가능한 당질 제한 다이어트를 궁리해보자.

사회생활을 하다 보면 평소에도 외식할 일이 많아진다. 매일 도시락을 직접 싸기가

편의점

편의점에서도 당질이 적은 것을 의외로 손쉽게 구할 수 있다.
반찬은 영양 성분표를 꼭 체크할 것. 편의점은 술안주도 풍부.

Point 1

먼저 표시된 영양 정보 표시 체크!

편의점에서 식품을 고를 때 반드시 영양 정보
표를 체크하여 탄수화물 및 당류 함유량이 낮
은 것을 선택하자.

Point 2

**샐러드, 어묵, 삶은 달걀을
잘 선택한다**

샐러드, 어묵, 삶은 달걀, 연두부는 저당질 식
재료다. 샐러드는 드레싱에 포함된 당질은 표
시되어 있지 않기에 주의한다. 어묵은 곤약,
무, 두부가 들어간 것이 좋다.

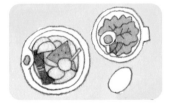

Point 3

**편의점에는 치즈 견과류, 햄 등의
저당질 식품도 많다**

편의점에서는 술도 팔기 때문에 당연히 술안
주도 꽤 많다. 술안주 중 치즈, 견과류, 오징어
는 저당질의 대표적인 식재료. 그 밖에도 햄,
훈제 고기, 닭 모래집, 생선구이 등도 좋은 저
당질 식품.

삶은 달걀
점심이나 간식 대용으로 딱 좋다.

생선구이 · 닭구이
생선구이는 소금으로 간한 담백
한 것이 좋다. 닭구이도 양념구
이 보다는 소금 간이 된 것을 선
택한다.

치즈
가공 치즈를 비롯해 스트링치즈,
크림치즈 등의 종류가 많다.

오징어
씹을수록 단맛이 나는 오징어
는 당질이 거의 제로에 가깝
다. 간식으로도 최고, 같이 들
어있는 소스는 사용하지 않는
것이 좋다.

술안주
훈제 고기, 닭 모래집, 소시지 종류는
당질이 낮으므로 추천. 될 수 있으면
소스는 사용하지 않는 것이 좋다.

외식

생선구이 같은 가정식 백반을 제공하는 식당을 가고
주문할 때 밥은 안 줘도 된다고 미리 말해두자.

Point 1

주문 시 밥은 필요 없다고 말한다

점심시간, 식당에 갔을 때 밥의 양이 많을 수도 있다.
되도록 단품요리를 고를 수 있는 식당을 선택한다. 혹
은 주문할 때 밥을 거부하는 용기를 발휘해본다. 먹다
가 남길 바에는 처음부터 안 먹는 게 식당 주인을 도
와주는 셈.

Point 2

**조미료를 되도록 사용하지 않는
메뉴를 고른다**

토마토케첩, 돈가스용 소스, 굴 소스, 초간장 등 당질
이 많은 조미료가 들어간 것 같은 메뉴는 고르지 않는
다. 될 수 있으면 소금, 후춧가루, 간장처럼 심플하게
간한 것을 고르고 고추장 양념은 당질이 높으므로 피
하는 것이 좋다.

Point 3

단품 메뉴로는 달걀찜, 연두부, 샐러드 추천

밥을 빼면 허전한 느낌이 들 수도 있다. 그럴 때는 단
품 메뉴로 달걀찜이나 연두부, 양이 풍부한 샐러드를
주문한다. 먹는 순서는 샐러드부터. 그러면 공복감을
덜 느낄 수 있다.

고기구이 정식

소금 간이면 아주 좋다. 곁들인 채소에서 호박, 당근, 감자 샐러드는 빼고 먹는다. 채 썬 양배추는 OK.

생선구이 · 생선회 정식

생선회 정식도 인기 메뉴 중 하나. 삶은 생선보다 구운 생선, 생선회 정식이 좋다. 밥을 안 먹으면 허전한 사람은 연두부를 먹으면 좋다.

튀김 정식

막 튀긴 것은 혈당치를 높이지 않기에 안심. 칼로리는 신경 쓰지 말고 먹는다. 그래도 모자란다고 느끼면 단품 메뉴인 샐러드를 추가로 먹는다.

고기&채소 볶음 정식

포만감 만점. 채소가 풍부하기에 추천. 간&부추 볶음도 철분이 많으니 필수적으로 챙겨야 할 단품 메뉴.

패밀리 레스토랑

패밀리 레스토랑은 고기 요리, 생선 요리, 샐러드, 술안주 등
당질이 적은 메뉴가 많다. 밥이 곁들여진 세트 메뉴는 피한다.

Point 1

가능하면 단품 메뉴를 조합한다

세트 메뉴가 저렴하지만, 단품 메뉴의 조합이 당질 제한
다이어트 기간 중에는 안심이 된다. 메인으로 스테이크
류를 주문하고 단품 메뉴로 샐러드를 조합해서 영양의
균형을 맞춘다.

Point 2

사이드 메뉴도 잘 선택한다

스테이크에 곁들여진 삶은 감자나 당근, 볶은 옥수수는
고당질이므로 되도록 피한다. 채소나 토마토는 적은 양
이라면 먹어도 괜찮다. 만일 먹을 만한 채소가 없으면
사이드 메뉴를 추가 주문한다.

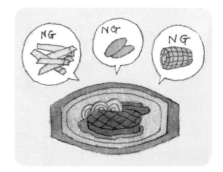

Point 3

고명이 많은 샐러드를 고른다

패밀리 레스토랑의 샐러드는 고명이 많은 편. 호박, 당
근처럼 당질이 많은 것을 피하고 채소 중심으로 먹되 새
우나 오징어가 들어간 시푸드 샐러드 혹은 고기&햄, 달
걀이 들어간 샐러드를 선택한다. 그러면 단백질도 섭취
할 수 있다.

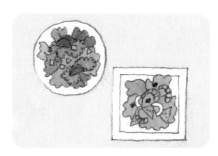

햄버그 스테이크

다진 고기로 햄버거를 만들 때 고기가 뭉치도록 빵가루를 약간 넣지만, 기본적으로 '고기'이기에 단품 메뉴로 주문해도 OK. 하지만 소스에 따라 당질의 양이 변하므로 데미글라스(드미글라스) 소스, 화이트소스 등은 피한다. 곁들여 나오는 메뉴에도 주의할 것.

비프·치킨 스테이크

철판에 얹어 나오는 촉촉한 스테이크는 칼로리가 높아 꺼려지기 쉽지만, 담백한 고기 요리는 당질이 낮아 안심하고 많이 먹을 수 있다. 소스나 스테이크에 딸려 나오는 것들은 당질이 적은 것으로 선택한다.

고명이 많은 샐러드

고기 요리에 딸려 나오는 감자, 옥수수, 당근은 고당질 식재료이므로 양배추 같은 저당질 채소가 풍부한 샐러드를 주문한다. 샐러드를 제일 먼저 먹으면 다이어트 효과도 커진다.

술안주·전채 메뉴

생햄, 소시지, 시금치와 베이컨 볶음이 술안주로 좋다. 레드 와인과 함께 마신다. 모둠 치즈, 피클도 안심하고 먹을 수 있는 당질 제한 메뉴.

패스트푸드 음식점

시간이 없을 때 흔히 이용하는 패스트푸드점에서도
햄버거 이외에 먹을 만한 것을 찾아보자.

Point 1

마음 놓고 사이드 메뉴를 고른다

패스트푸드는 고기와 채소가 들어간 햄버거가 메인이다. 빵을 남기고 안의 것만 먹으면 된다고 생각하겠지만, 오히려 사이드 메뉴에서 고르는 게 더 낫다. 치킨 너겟, 로스트 치킨, 프라이드치킨, 채소 샐러드를 선택한다.

Point 2

음료는 차 종류 혹은 당류 제로 드링크를 고른다

의식적으로 당질이 적은 사이드 메뉴를 골라 먹었지만 나중에 주스를 마시면 아무 소용이 없다. 되도록 차 종류나 무가당 홍차, 당질 제로·당류 제로 드링크를 마신다. 커피는 괜찮지만 카페라테나 믹스 커피는 당질이 많으니 주의할 것.

패스트푸드 음식점에서의 당질 제한 다이어트를 위한 추천 메뉴

치킨 너겟 · 프라이드치킨

안심하고 권할 수 있는 것은 치킨 너겟, 프라이드치킨, 그릴 치킨 같은 닭고기 메뉴다. 모두 당질이 낮다. 튀김옷은 되도록 적게 입힌 것으로.

사이드 샐러드 · 콘슬로 샐러드

치킨을 먹는다면 채소도 잊지 말 것. 옥수수 샐러드, 감자 샐러드를 무심결에 고르기 쉽지만, 당질이 높으니 주의.

소시지

당질이 낮고 볼륨이 있으며 식감도 좋다. 약간 배가 출출할 때 권한다. 토마토케첩은 적게 뿌릴 것.

고깃집

당질 제한 다이어트에 가장 좋은 장소. 하지만 저당질인 고기를
마음껏 먹을 수 있다고 마음 놓지 말 것! 먼저 중요한 포인트를 알아둔다.

Point 1
소스보다 소금을 선택

고깃집에서 나오는 소스는 당질이 많다. 체인점은
소스를 미리 준비해두는 경우가 많다. 고기는 그냥
소금에 찍어 먹도록 한다. 또한 시판되는 소스도 당
질이 많이 들어 있으니, 집에서 고기를 구워 먹을
때는 소금, 간장, 술로 간한다.

Point 2
김치보다 나물. 상추

김치는 매우니까 괜찮다고 생각할지 모르지만, 의
외로 당질이 많이 포함되어 있다. 김치보다는 깍두
기나 백김치, 혹은 물김치가 낫다. 또한 호박, 당근
같은 당질 높은 채소보다는 나물이나 상추를 선택
하는 게 포인트.

고깃집에서의 당질 제한 다이어트를 위한 추천 메뉴

소금 간 고기구이

대부분의 간장 소스에는 당분이 많이
포함되어 있으니, 되도록 소금 소스
로 택한다.

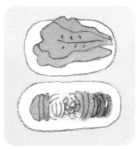

나물·샐러드·상추

호박, 당근, 옥수수가 들어간 것보다
상추, 샐러드 같은 저당질 채소나 시
금치, 콩나물을 추천.

두부찌개

매운맛을 고른다. 매운 음식을 먹으
면 신진대사를 항상시켜 살 빼지기
쉬운 체질로 만들어준다. 다소 맵더
라도 두부가 들어가면 맛이 부드러워
져서 괜찮다.

Q 스포츠 선수에게도 당질 제한 다이어트가 효과 있나?

A 지구력을 향상시키려면 탄수화물이 필요하다고 알려져 있지만, 당질 제한 식사로도 지구력이 향상된다는 결과가 있다. 당질 제한 다이어트의 식사를 계속하면 케토시스(지방 분해)가 일어난다. 그러면 지방을 지방산과 케톤체로 분해, 에너지를 내보내면서 지구력을 향상시킨다.

Q 아무래도 단것이 먹고 싶을 땐 어떡해야 할까?

A 당질 제한 다이어트를 시작했는데도 단것이 너무 먹고 싶다면 당질 의존증일 경우가 많다. 약한 단맛으로 천천히 적응시키거나, 라칸토S 같은 감미료를 사용한다. 만일 참을 수 없어 과자를 먹었다면 걷기 운동으로 당질을 소비시키도록.

Q 당뇨병에도 효과가 있다고 들었는데?

A 혈액 중 포도당의 양이 너무 많아 몸에서 분비되는 인슐린의 양이 적거나 효과적으로 처리하지 못해 발병하는 제2형 당뇨병 치료에도 당질 제한 식사가 매우 효과적이다. 또한 제1형 당뇨병에도 효과가 있다. 인슐린 양은 주치의와 상담해보도록.

Q 영양제를 함께 먹어도 괜찮나?

A 겉보기에 영양이 부족해 보일 것 같은 당질 제한 다이어트이지만 그렇지 않다. 당질만 제한할 뿐 영양가 높은 식사를 얼마든지 할 수 있다. 다만 단백질 중심이 될 수 있으니까 비타민, 미네랄 등 각각의 상태에 적합한 영양제를 보충하면 좋다.

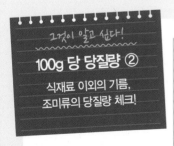

그것이 알고 싶다!

100g 당 당질량 ②

식재료 이외의 기름,
조미류의 당질량 체크!

유지류	
올리브유	0.0g
참기름	0.0g
버터(유염)	0.2g

조미료류	
우스터소스	26.3g
간장(진한 맛)	10.1g
간장(옅은 맛)	7.8g
곡물 식초	2.4g
쌀 식초	7.4g
와인 비네거	1.2g
국물 소스(3배 농축)	20.0g
굴 소스	18.1g
토마토퓌레	8.1g
토마토케첩	25.6g
프렌치드레싱	5.9g
사우전드 아일랜드 드레싱	8.9g

마요네즈	4.5g
된장(단맛)	32.3g
된장	21.0g
고추장	44.8g
카레 루(고형 카레)	41.0g
하이라이스 루(고형)	45.0g
조리용 술	43.2g
흑설탕	89.7g
백설탕	99.2g
그래뉴당	100.0g
꿀	79.7g

Part 3

당질만 제한하면
황제 식사도 OK!

다이어트 중이지만 좋아하는
고기, 생선, 달걀을 참을 필요가 전혀 없다!
당질만 빼면 스테이크, 튀김을 얼마든지 먹어도 된다.

고기를 맘껏 먹는 다이어트!

1위

당질 0g

닭고기·생햄 (장기 숙성)

닭고기는 부위에 상관없이 당질 제로. 장기 숙성
시킨 생햄도 당질 제로이지만. 시중에서 파는 제
품 중에는 당질이 높은 것도 있으니 성분표를 꼭
확인할 것. 닭 껍질도 당질이 아주 낮으니 걱정
말고 먹자.

저당질 육류 랭킹!
Ranking

Best 5

고기는 전체적으로 당질이 낮은데, 대부분
100g당 1g 미만이다. 꺼리지 말고 먹어도 좋다.

2위 돼지고기

돼지고기도 당질이 낮으니 맘껏 먹어
도 좋다. 비타민 B₁도 풍부해서 피로
해소에 도움이 된다.

당질 0~0.2g

다이어트 중에 먹어서는 안 된다고 피하는 육류! 하지만 당질 제한 다이어트 때는 얼마든지 먹어도 된다. 그야말로 당질이 낮으니까! 고기를 맘껏 먹으면서 살 빠지는 체질을 만든다! (원 안의 수치는 100g 당 당질 함유량)

3위

당질 0.1g

양고기

지방 연소에 도움이 되는 'L-카르니틴'이라는 아미노산의 일종이 함유되어 있어 다이어트에 안성맞춤인 식재료. 샤부샤부는 물론 스테이크도 즐길 수 있다.

4위

당질 0.1~0.7g

쇠고기

쇠고기도 당질이 낮은데, 그중에서도 빨간 부위를 골라 먹는다. 철분이 많아 빈혈 예방에도 좋다.

기타 간 – 당질 3.7g

5위

로스햄·베이컨 등 육가공품

당질 0.3~12.7g

햄, 베이컨, 소시지 같은 육가공식품은 손쉽게 먹을 수 있다. 당질 제로의 제품도 있으니 잘 선별해서 이용해본다.

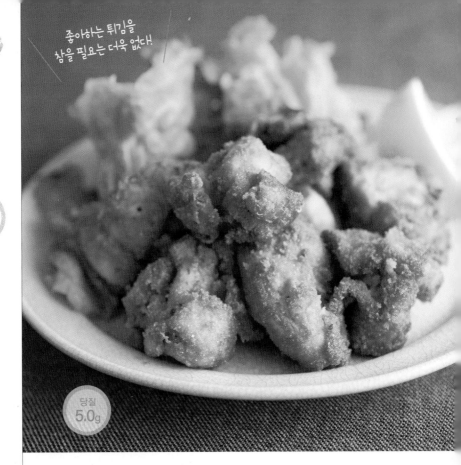

좋아하는 튀김을
참을 필요는 더욱 없다!

당질
5.0g

닭다리튀김

1인분 415kcal

재료(2인분)

닭다리…1개
소금·간장…조금씩

A
- 생강·마늘(얇게 썬 것)…1쪽 분량씩
- 두반장…⅓작은술
- 간장…2큰술
- 라칸토S…1작은술

건조 비지…2큰술
튀김유…적당량
상추…적당량
레몬…¼개

만들기

1 닭다리를 한 입 크기로 잘라 소금과 후춧가루를
뿌린다.
2 1에 A를 넣고 버무린 후 15분 정도 재운다.
3 2에 건조 비지를 입히고 150℃로 끓인 튀김유에
튀긴다.
4 접시에 담고 상추, 비스듬히 썬 레몬을 곁들인다.

당질 제한 포인트!

깊은 맛을 내려면 단맛을 주는 라칸토S. 튀김옷은 밀가루 대
신 건조 비지를 사용한다.

닭가슴살샐러드

1인분 ▶ 356kcal

재료(2인분)

닭가슴살…1쪽
소금…적당량
오이…1개
차조기…5장
(또는 깻잎)
고기 육수

A ┌ 통깨…2큰술(곱게 간 것)
├ 레몬즙…1큰술
├ 유자후추…½작은술
├ 닭 삶은 물…1큰술
├ 라칸토S…1작은술
└ 간장…1큰술

만들기

1 냄비에 물을 끓인 후 소금을 뿌린 닭고기를 넣는
다. 5분쯤 삶은 후 그대로 뚜껑을 닫고 식을 때까지
놔둔다.
2 오이, 차조기를 채 썰고 A는 고루 섞는다.
3 1을 얇게 슬라이스한다. 접시에 오이, 닭고기, 차
조기를 올리고 A를 뿌린다.

*유자후추 일본 규슈 지역의 특산 조미료. 생유자의 껍질과
생고추를 갈아 으깬 것에 소금을 넣은 것. (여기서 후추는 고
추의 옛 일본말이라고 한다.)

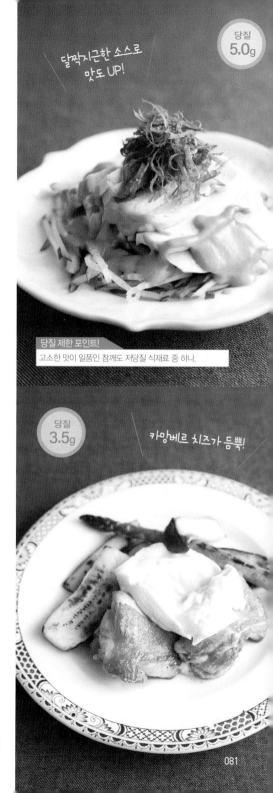

달짝지근한 소스로
맛도 UP!

당질
5.0g

닭다리채소구이

1인분 ▶ 510kcal

재료(2인분)

닭다리…1개
아스파라거스…2개
소금·후춧가루…조금씩
호박…½개

올리브유…1큰술
새송이버섯…½개
가지…1개
카망베르 치즈…1개(80g)

만들기

1 닭다리를 1/4로 균등하게 잘라 소금과 후춧가루
를 뿌린다.
2 호박, 새송이버섯, 가지는 넙적하게 1cm 두께로 자
른다. 아스파라거스는 딱딱한 부분을 제거한다.
3 프라이팬에 올리브유를 두르고 달군 후 1과 2를
익힌다.
4 노르스름하게 구워지면 소금과 후춧가루를 뿌리
고 가로로 반을 자른 카망베르 치즈를 얹어 뚜껑을
닫고 푹 익힌다.

당질
3.5g

카망베르 치즈가 듬뿍!

당질 제한 포인트!
저당질인 카망베르 치즈를 소스 대신 이용한 것이 포인트!

081

닭다리곤약잡채

1인분 ▶ 285kcal

재료(2인분)

닭다리…½개
빨간 파프리카…1개
시금치…100g
표고버섯…2개
파…⅓개

마늘·생강…1쪽씩
곤약…1봉지
참기름…1큰술
두반장·참깨
…½작은술

A ┌ 간장…1큰술
  │ 된장…1큰술
  │ 라칸토S…1큰술
  └ 소금·후춧가루…조금씩

만들기

1 닭다리는 한 입 크기보다 작게 썬다. 파프리카와 표고버섯은 가늘게 썬다. 시금치는 이등분하고, 파는 4cm 길이로 자른 후 세로로 다시 가늘게 썬다. 곤약도 채 썰어 준비한다.

2 마늘, 생강은 얇게 슬라이스 한다.

3 1의 시금치, 곤약은 각각 뜨거운 물에 살짝 데친 후 물기를 뺀다.

4 프라이팬에 참기름을 둘러 달군 후 2를 두반장과 함께 볶아 향을 내고 1의 닭고기를 볶는다. 프라이팬 전체에 화기가 골고루 전해지면 1의 채소와 3을 차례로 볶아 섞는다.

5 A로 맛을 내고 접시에 담아 참깨를 뿌린다.

당질 제한 포인트!

곤약은 저당질일뿐더러 저칼로리 식재료니 다이어트에 좋다. 적극적으로 사용한다.

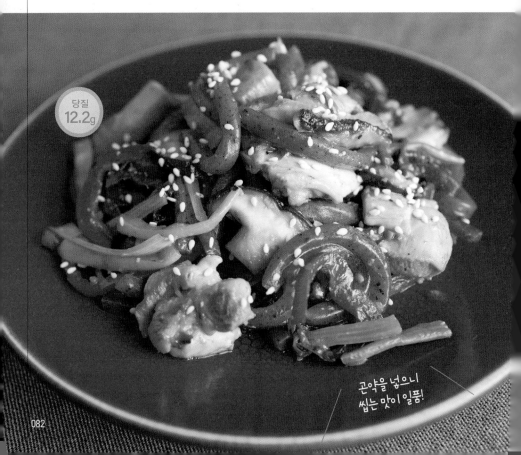

당질
12.2g

곤약을 넣으니
씹는 맛이 일품!

닭다리크림찜

1인분 ▶ 710kcal

재료(2인분)

닭다리···1개
콜리플라워···½개
우유···200ml
화이트 와인···50ml

소금·후춧가루···조금씩
생크림···100ml
버터···10g
완두콩···1큰술
올리브유···1작은술

만들기

1 닭다리를 한 입 크기로 자르고 소금과 후춧가루를 뿌린다. 콜리플라워는 적당히 자른다.

2 프라이팬에 버터, 올리브유를 넣고 닭고기를 익힌다. 양면이 노르스름해지면 콜리플라워를 넣고 살짝 볶는다.

3 2에 화이트 와인을 넣고 뚜껑을 닫은 후 충분히 익힌다.

4 3에 생크림, 우유, 완두콩을 넣고 소금과 후춧가루로 간을 한다.

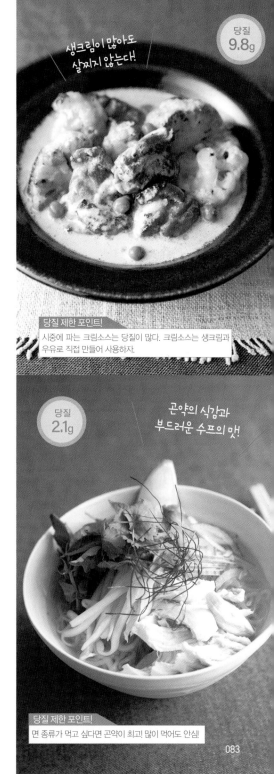

생크림이 많아도
살찌지 않는다!

당질
9.8g

당질 제한 포인트!
시중에 파는 크림소스는 당질이 많다. 크림소스는 생크림과 우유로 직접 만들어 사용하자.

닭가슴살곤약국수

1인분 ▶ 132kcal

재료(2인분)

곤약(잘게 썬 것)···400g
닭가슴살···4쪽
고수·물냉이·민트(허브)
실고추···적당량씩
소금···조금
자색 양파···¼개
콩나물···50g
라임···¼개

A ┌ 닭고기 육수(분말)
  │ ···1작은술
  │ 남플라*···1큰술
  │ 소금···⅓작은술
  └ 후춧가루···조금

*남플라(Nam Pla) 태국의 피시소스. 잔물고기를 소금에 절여 발효시킨 것.

만들기

1 잘게 썬 곤약은 뜨거운 물에 살짝 데쳐둔다.

2 닭가슴살의 질긴 부분을 제거하고 소금을 뿌려 뜨거운 물에 삶은 후 먹기 좋게 손으로 찢어놓는다. 닭 삶은 물(600ml)에 A를 넣어 맛을 낸다.

3 고수, 물냉이는 적당히 썰고 자색 양파는 얇게 썬다. 콩나물은 뿌리 부분을 다듬는다.

4 2의 국물에 1을 넣고 따뜻하게 해서 그릇에 담는다. 닭가슴살, 3, 민트를 넣고 비스듬히 자른 라임, 실고추로 장식한다.

당질
2.1g

곤약의 식감과
부드러운 수프의 맛!

당질 제한 포인트!
면 종류가 먹고 싶다면 곤약이 최고! 많이 먹어도 안심

돼지고기에 함유된
비타민 B_1이 당질을
에너지로 바꾸어준다!

당질
1.4g

건조비지돈가스

1인분 213kcal

재료(2인분)

돼지고기(로스, 구이용)···4쪽
소금·후춧가루···조금씩
슬라이스 치즈···2장
차조기(깻잎 혹은 바질)···2장
직접 만든 건조 비지···4큰술
식용유···적당량
꽃상추·레몬·래디시···적당량씩

만들기

1 돼지고기를 잘라 소금, 후춧가루를 뿌린다. 여기에 반으로 자른 치즈, 차조기를 끼운다.

2 1의 표면에 건조 비지를 뿌린 후 기름을 넉넉히 두른 프라이팬에 넣고 튀기듯 익힌다.

3 접시에 담고 잘게 썬 꽃상추, 비스듬히 썬 레몬, 래디시를 곁들인다.

당질 제한 포인트

직접 만든 건조 비지는 사각사각한 식감이 뛰어나다(52쪽 참조). 또한 볼륨감이 있기에 고기 양이 적어도 포만감을 느낄 수 있다. 차조기 대신 바질을 사용할 때는 큰 것은 2장, 작은 것은 4장을 사용한다.

돼지갈비오븐구이

`1인분` ▶ 556kcal

재료(2인분)

돼지 등갈비···400g
소금·후춧가루···조금씩
물냉이···적당량

A
┌ 마늘(간 것)···1쪽 분량
│ 생강(간 것)···1쪽 분량
│ 양파(간 것)···½개
│ 레드 와인···50㎖
│ 간장···2큰술
└ 라칸토S···1큰술

만들기

1 등갈비에 소금, 후춧가루를 뿌리고 A에 버무린 다음 20분쯤 재운다.
2 200℃로 예열한 오븐에서 20분 굽는다.
3 접시에 담고 물냉이를 곁들인다.

당질 제한 포인트!
양파는 당질이 높지만, 소스로 적실 뿐이라서 괜찮고 맛도 좋아진다.

당질
11.0g

포만감 있는 돼지갈비를
먹으면서도 다이어트!

돼지고기생강구이

`1인분` ▶ 336kcal

재료(2인분)

돼지고기(구이용)···200g
식용유···1작은술
양배추·파슬리···적당량씩

A
┌ 생강즙···½큰술
│ 간장···1큰술
└ 라칸토S···1큰술

만들기

1 식용유를 두른 프라이팬에 돼지고기를 올려 앞뒤로 노릇하게 굽는다. 다 구운 뒤 키친타월로 기름을 제거한 후 A를 넣고 잘 섞어서 익힌다.
2 접시에 담고 잘게 썬 양배추, 파슬리를 곁들인다.

당질 제한 포인트!
돼지고기 구이를 먹다 보면 밥이 당기겠지만, 밥 대신 두부와 같이 먹으면 포만감이 느껴지고 밥 생각이 덜 난다.

당질
6.6g

돼지고기와 생강으로
디톡스 효과 상승!

건조비지햄버그스테이크

1인분 ▶313kcal

재료(2인분)

양파…¼개
고기(간 것: 돼지고기:쇠고기=7:3)…200g

A ┌ 직접 만든 건조 비지…2큰술
  │ 달걀물…2큰술
  │ 우유…2큰술
  └ 소금·육두구…조금씩

식용유…적당량
그린빈…10개
브로콜리…4조각
느티만가닥버섯…적당량
소금·후춧가루…적당량씩

만들기

1 양파는 다져서 고기와 A를 넣고 잘 버무린다.
2 1을 손바닥으로 치대어 적당한 크기로 둥글게 빚어 식용유를 두른 프라이팬에 넣고 익힌다.
3 먹기 쉽게 자른 그린빈, 느티만가닥버섯, 브로콜리를 2에 넣어 같이 익히면서 소금, 후춧가루를 뿌려 살짝 간을 한다.
4 패티와 채소를 접시에 담고 소스를 뿌려 먹는다.

> **당질 제한 포인트!**
> 빵가루 대신 건조 비지를 사용. 양파, 우유는 적은 양을 사용하므로 당질에 신경 쓰지 않아도 된다.

소스를 달리해 다양한 맛을 즐기자

레드 와인 소스
조리 후 팬에 남은 즙에 레드 와인·토마토퓌레를 각각 2큰술, 간장은 1큰술, 버터 10g, 소금과 후춧가루를 조금씩 넣는다.

양파를 갈아 만든 소스
조리 후 팬에 남은 즙에 간 양파 ⅓개를 붓고 간 생강 ½작은술, 간장 2큰술, 라칸토S 1큰술, 화이트 와인 1큰술을 넣고 익힌다.

머스터드 치즈 소스
우유 500ml를 데운 후 피자용 치즈 50g, 겨자 2작은술을 넣어 잘 섞는다.

건조 비지를 사용하면 안심!

당질 4.7g

돼지고기채소볶음

1인분 ▶ 373kcal

재료(2인분)

얇게 썬 돼지고기   염장 다시마…10g
…200g   참기름…1큰술
생강…1쪽   간장…2작은술
오이…2개   후춧가루…조금

만들기

1 생강은 잘게 썰고 오이는 적당히 자른다.
2 다시마는 물에 담가 소금기를 제거하고 가늘게
썬다.
3 프라이팬에 참기름을 두르고 1의 생강, 돼지고기
를 볶은 후 오이와 다시마를 넣어 같이 볶는다.
4 간장, 후춧가루로 간을 맞춘다.

당질 제한 포인트!
오이 이외의 배추, 가지, 브로콜리 같은 채소도 추천

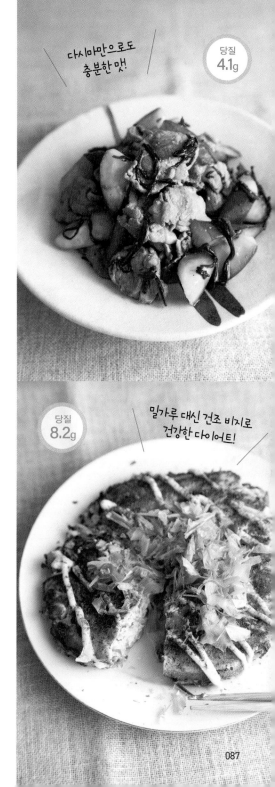

다시마만으로도
충분한 맛!

당질
4.1g

오코노미야키

1인분 ▶ 765kcal

재료(2인분)

양배추…200g   ┌ 달걀…3개
돼지고기(삼겹살) 얇게 썬 것   A │ 멸치 육수…200ml
…150g   └ 말린 새우…3큰술
쪽파…2줄기
마요네즈…2큰술   가다랑어포…10g
건조 비지…½컵   간장…1큰술
감태(또는 김) 가루…2작은술   식용유…2큰술

만들기

1 양배추와 쪽파는 잘게 썬다.
2 건조 비지, 1, A를 함께 섞어 식용유(혹은 돼지기름)
를 두른 프라이팬에 펼쳐서 익히고 그 위에 돼지고
기를 얹는다.
3 앞면이 구워지면 뒤집어서 충분히 익힌다.
4 3을 접시에 올려 마요네즈, 감태(또는 김)가루, 가
다랑어포를 얹고 간장을 뿌려 먹는다.

당질 제한 포인트!
밀가루를 건조 비지로, 소스를 간장으로 대신함으로써 다이
어트에 안심이 되는 일품요리.

당질
8.2g

밀가루 대신 건조 비지로
건강한 다이어트!

양고기

OFF

당질 제한 레시피

양고기의 L-카르티닌으로
지방은 굿바이!!

당질
2.9g

양고기스테이크

1인분 533kcal

재료(2인분)

양갈비…4개
소금·후춧가루…조금씩
마늘(간 것)…⅓작은술
올리브유…2큰술
로즈메리(허브)…1줄기
베이비 채소…적당량

A ┌ 발사믹 식초…2큰술
　├ 간장…2큰술
　├ 레드 와인…2큰술
　└ 버터…5g

만들기

1 양고기에 소금, 후춧가루를 뿌리고 마늘, 올리브유, 로즈메리를 그 위에 발라 20분 정도 재운다.
2 뜨겁게 달군 프라이팬에 1을 넣고 앞뒤로 굽는다.
3 양고기를 꺼내고 프라이팬의 남은 즙에 A를 넣고 끓인다.
4 접시에 2를 담고 3을 뿌린 후 채소를 곁들인다.

당질 제한 포인트!

심플하게 고기를 굽는 게 당질 제한의 첫째 포인트. 발사믹 식초도 꼭 챙겨야 할 조미료. 진한 맛을 내줄 뿐 아니라 당질이 낮은 포도를 숙성시켜 만들기 때문에 시판되는 양조 식초보다 저당질이다.

양고기스튜

1인분 ▶ 425kcal

재료(2인분)

양고기…200g
양파…½개
마늘…10g
올리브유…1큰술
삶은 병아리콩…½컵
올리브유…2큰술
소금…½작은술
후춧가루…조금

A
┌ 물…50ml
│ 토마토퓌레…½컵
│ 커민(향신료)…½작은술
│ 월계수 잎…1장
└ 레드 와인…50ml

만들기

1 양고기는 한 입 크기로 자른다. 양파, 마늘은 가늘게 썬다.
2 냄비에 올리브유를 둘러 달군 후 1의 마늘을 향이 풍길 때까지 볶는다. 이어 양고기, 양파 순서로 넣고 함께 볶는다.
3 2에 병아리콩과 A를 넣고 10분 정도 끓인 후 소금과 후춧가루로 간을 맞춰 그릇에 담는다.

양고기아스파라거스말이

1인분 ▶ 307kcal

재료(2인분)

다진 양고기…250g
아스파라거스…4개
고수·레몬…적당량씩

A
┌ 잘게 썬 양파…⅛개
│ 잘게 썬 생강·마늘
└ …½쪽 분량씩

B
┌ 강황가루…¼작은술
│ 가람 마살라…¼작은술
│ 고수가루…¼작은술
│ 소금…¼작은술
└ 후춧가루…조금

만들기

1 다진 양고기를 A에 잘 버무린다. B를 넣고 다시 버무린다.
2 아스파라거스의 먹기 힘든 부분은 제거하고 1을 그 위로 둥글게 감싼다.
3 200℃로 예열한 오븐에 15분 굽는다. 그릇에 담고 비스듬히 자른 레몬과 고수를 곁들인다.

당질 제한 포인트!
향신료를 효과적으로 사용하면 신진대사를 촉진시켜 살 빠지기 쉬운 체질로 만들어준다.

담백한 병아리콩과
토마토로 깔끔한 맛!

당질
18.1g

당질 제한 포인트!
토마토케첩을 쓰지 않고 토마토퓌레를 사용하여 맛이 산뜻하다.

양고기 특유의 냄새가 없고
포만감 풍부한 일품요리!

당질
2.9g

쇠고기

(OFF)

당질 제한 레시피

쇠고기 스테이크는 다릿살, 안심을 골라야!

당질
6.9g

쇠고기스테이크

1인분 ▶ 450kcal

재료(2인분)

쇠고기(다릿살, 안심)…200～300g
소금·후춧가루…조금씩
마늘(간 것)…1쪽 분량
소기름…적당량
완두콩(꼬투리째)…10개
양파(나이테 모양으로 썬 것)…½개

만들기

1 쇠고기에 소금, 후춧가루, 마늘을 흩뿌려둔다.
2 프라이팬에 소기름을 넣고 녹인 후 1, 껍질의 얇은 막을 제거한 완두콩 꼬투리, 양파를 넣어 함께 익힌다.

당질 제한 포인트!
다릿살, 안심처럼 저지방, 고단백 부위를 고르는 게 중요하다.
식감이 좋은 부위가 포만감을 이끌어낸다.

소스를 달리해 다양한 맛을 즐기자

**고추냉이&
간장 소스**

조리 후 남은 즙에 고추냉이 ¼ 작은술, 간장 1큰술을 넣고 잘 섞는다.

발사믹 소스

조리 후 남은 즙에 양파 간 것 ¼개, 발사믹 식초·레드 와인·간장을 각각 1큰술, 버터 5g, 라칸토S ½큰술을 넣고 끓인다.

겨자 소스

조리 후 남은 즙에 겨자 1작은술, 화이트 와인·간장을 각각 1큰술, 소금과 후춧가루를 조금씩 넣어 간을 한다.

쇠고기냉샤브샤브

1인분 ▶ 634kcal

재료(2인분)

쇠고기(샤브샤브용)
···200g
연두부···200g
오크라*···6개

*단면이 별처럼 생긴 채소

A ┌ 참깨(간 것)···2큰술
  │ 옅은 맛 간장···1 ½큰술
  │ 두반장···1작은술
  │ 닭육수(닭 뼈의 국물을 우
  │ 려내서 만든 육수)···2큰술
  │ 생강(간 것)···½작은술
  └ 유자즙···1작은술

만들기

1 쇠고기는 뜨거운 물에 데쳐 찬물(얼음물)에 살짝
담갔다가 물기를 뺀다. 두부는 물기를 뺀다. 오크
라는 소금을 뿌려 강판에 간 후 뜨거운 물에 살짝
데쳐 작게 썬다.
2 A를 잘 섞는다.
3 그릇에 1을 담고 2를 그 위에 뿌린다.

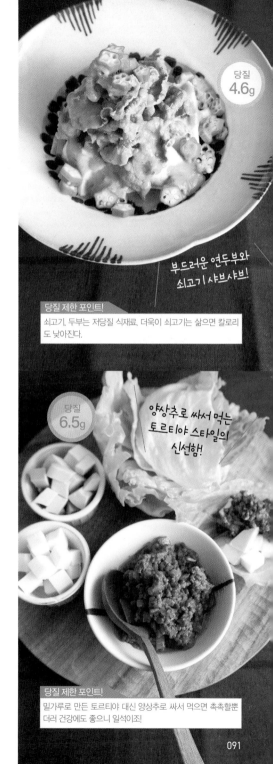

당질 4.6g

부드러운 연두부와
쇠고기 샤브샤브!

당질 제한 포인트!
쇠고기, 두부는 저당질 식재료. 더욱이 쇠고기는 삶으면 칼로리
도 낮아진다.

쇠고기양상추쌈

1인분 ▶ 386kcal

재료(2인분)

양파···½개
양상추···4장
마늘···10g
가공 치즈···50g
쇠고기(다진 것)···200g
아보카도···½개
올리브유···적당량

A ┌ 칠리 파우더···¼작은술
  │ 카옌페퍼···¼작은술
  │ 커민(향신료)···조금
  │ 토마토퓌레···¼컵
  │ 소금···½작은술
  │ 후춧가루···조금
  └ 콩소메(분말)···½작은술

만들기

1 양파, 마늘을 잘게 썬다.
2 프라이팬에 올리브유를 두른 후 1의 마늘을 향이
날 때까지 볶는다. 여기에 다진 쇠고기, 양파를 순서
대로 넣고 볶는다.
3 2에 A를 넣고 고루 섞어 간한다.
4 양상추에 3과 사방 1cm 크기로 자른 치즈, 아보
카도를 얹어 쌈을 싸 먹는다.
+ 기호에 따라 마요네즈를 뿌려 먹어도 좋다.

당질 6.5g

양상추로 싸서 먹는
토르티야 스타일의
신선함!

당질 제한 포인트!
밀가루로 만든 토르티야 대신 양상추로 싸서 먹으면 촉촉할뿐
더러 건강에도 좋으니 일석이조!

닭 간&모래집

OFF

당질 제한 레시피

당질
9.3g

부족하기 쉬운 철분을
충분히 공급해준다.

숙주듬뿍닭간볶음

1인분 ▶ 267kcal

재료(2인분)

닭 간···150g

A
- 간장···1큰술
- 라칸토S···1큰술
- 된장···1작은술
- 다진 마늘·생강···½작은술씩

숙주···1봉지(200g)
부추···½묶음(50g)
건조 비지(고운 타입)···1큰술
참기름···2큰술
두반장···⅓작은술

B
- 소금·후춧가루·간장···조금씩
- 닭고기 육수(분말)···⅓작은술

만들기

1 간은 먹기 좋게 한 입 크기로 자른다. 소금기가 약간 있으므로 물로 씻어낸 다음 물에 담가 피를 빼고 물기를 제거한다. A에 15분쯤 담가둔다.

2 숙주는 뿌리 부분을 잘라 다듬고 부추는 적당한 길이로 썬다.

3 1에 건조 비지를 뿌리고 참기름을 두른 프라이팬에 굽는다. 익으면 일단 꺼낸다.

4 3의 프라이팬에 두반장을 넣고 가볍게 볶은 후 2를 넣고 볶는다. 간을 다시 프라이팬에 넣고 같이 볶다가 B로 간한다.

당질 제한 포인트!

숙주, 부추는 모두 저당질 식재료. 마음껏 먹으며 건강한 다이어트를 할 수 있다.

간페이스트

1인분 ▶ 238kcal

재료(2인분)

닭 간…100g
양파…⅛개
마늘…1쪽
화이트 와인…50㎖
크림치즈…50g
소금…½작은술

가공 치즈…적당량
올리브유…1큰술
후춧가루…조금
로즈메리…1장
치커리…적당량

만들기

1 간은 지방을 제거하고 적당한 크기로 잘라 소금 (분량 외)을 뿌려 물에 씻은 후 물(혹은 우유)에 담가 피를 뺀다. 그리고 물기를 잘 털어낸다.
2 양파, 마늘을 잘게 썬다.
3 올리브유를 두른 프라이팬에 2를 익혀 부드러워 지면 1, 로즈메리 잎을 넣고 볶는다. 간이 어느 정도 익으면 화이트 와인을 넣고 한 번 더 볶다가 가공 치즈를 뿌린다.
4 믹서에 3과 함께 실온에 둬둔 크림치즈를 넣고 잘 갈아서 소금, 후춧가루로 간한다. 쌈배추나 치커 리 등을 곁들인다.

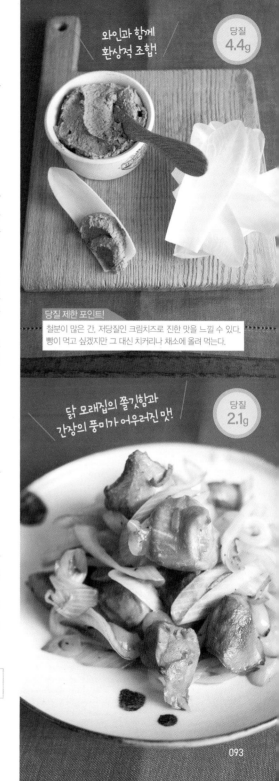

와인과 함께 환상적 조합!

당질 4.4g

당질 제한 포인트!
철분이 많은 간, 저당질인 크림치즈로 진한 맛을 느낄 수 있다. 빵이 먹고 싶겠지만 그 대신 치커리나 채소에 올려 먹는다.

닭모래집볶음

1인분 ▶ 166kcal

재료(2인분)

닭 모래집(힘줄 뺀 것)
…200g
참기름…1큰술
간장…1작은술

대파…1대
소금…½작은술
생강…10g
후춧가루…조금

만들기

1 닭 모래집은 한 입 크기로 자르고 대파는 어슷하 게 썬다. 생강도 잘게 썬다.
2 참기름을 두른 프라이팬에 생강을 넣고 향이 풍 길 때까지 볶는다. 닭 모래집과 대파를 넣고 함께 볶 는다. 간장, 소금, 후춧가루로 간한다.

당질 제한 포인트!
닭 모래집은 저당질, 저지방의 다이어트에 좋은 식재료이다. 또한 비타민군도 풍부.

닭 모래집의 쫄깃함과 간장의 풍미가 어우러진 맛!

당질 2.1g

육가공식품 OFF 당질 제한 레시피

베이컨쑥갓볶음

1인분 ▶ 222kcal

재료(2인분)

베이컨···4장
쑥갓···1묶음
느티만가닥버섯···½팩
올리브유···⅓큰술
소금·후춧가루···조금씩

만들기

1 베이컨은 1cm 폭으로 자른다. 쑥갓은 잎을 따내고 줄기를 적당히 자른다. 느티만가닥버섯은 밑동을 잘라내고 부드럽게 풀어준다
2 올리브유를 두른 프라이팬에 1의 베이컨, 쑥갓 줄기, 느티만가닥버섯을 넣고 볶은 후 쑥갓 잎을 넣고 함께 볶는다.
3 소금, 후춧가루로 간한다.

당질 제한 포인트!

쑥갓은 저당질이면서 비타민 A, 비타민 C가 풍부하다. 느티만가닥버섯은 식이 섬유를 함유하기에 변비 해소에 도움이 된다.

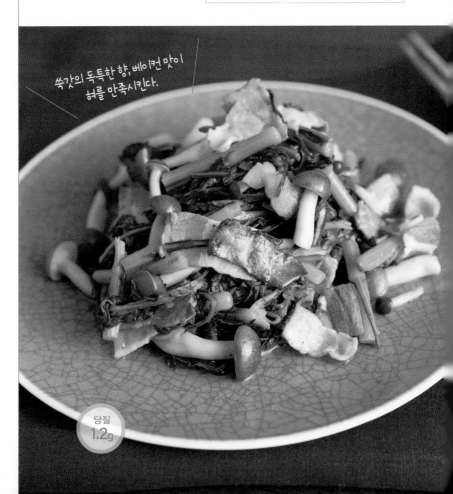

쑥갓의 독특한 향, 베이컨맛이 혀를 만족시킨다.

당질
1.2g

콩소시지수프

1인분 134kcal

재료(2인분)

소시지…3개
물…500㎖
병아리콩(삶은 것)
…¼컵
콩소메(분말)…½작은술

양파…¼개
셀러리…¼개
시금치…1묶음
소금…⅓작은술
후춧가루…조금

만들기

1 소시지는 약간 작게 썬다. 양파, 셀러리는 사방 1cm 크기로 썬다. 시금치는 소금물에 데쳐 1cm 폭으로 자른다.

2 냄비에 물과 함께 1, 병아리콩을 넣고 10분쯤 끓인다. 콩소메 분말, 소금, 후춧가루로 간한다.

당질 제한 포인트!

소시지와 병아리콩은 포만감이 높아 아침 식사로 적당.

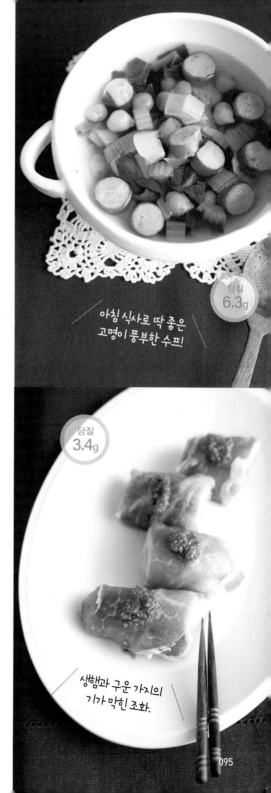

당질 6.3g

아침 식사로 딱 좋은 고명이 풍부한 수프!

생햄가지말이

1인분 109kcal

재료(2인분)

가지…2개
생햄…4장
제노베제 소스(시판용)…1큰술

만들기

1 가지는 꼭지만 떼어내고 통째로 그릴에서 구워 껍질을 벗긴 후 세로로 절반 자른다.

2 생햄을 펴서 1을 올리고 둥글게 만다.

3 먹기 좋은 크기로 잘라 그릇에 담고 제노베제 소스를 뿌린다.

당질 제한 포인트!

촉촉한 가지 구이는 건강에 좋은 일품요리.

당질 3.4g

생햄과 구운 가지의 기가막힌 조화.

어패류도 마음껏 먹자!

1위
당질 0.1g

연어

연어는 주홍색의 살 안에 안토시아닌이 많이 함유되어 있는데, 노화 방지에도 절대적인 효과가 있다.

2위
당질 0~0.1g

등 푸른 생선

전갱이, 꽁치, 고등어 같은 등 푸른 생선은 콜레스테롤, 중성 지방을 낮추는 EPA가 풍부하다. 다이어트에 최적의 식재료라고 말할 수 있다.

4위
당질 0.1~0.3g

오징어·새우 연어 알·문어

오징어, 새우, 삶은 문어는 당질이 낮고 나쁜 성분의 콜레스테롤을 없애는 타우린이 함유되어 있다. 연어알에 들어 있는 비타민B$_{12}$은 빈혈 예방에도 좋다.

고단백, 저지방인 어패류는 다이어트에 환상적인 식재료. 콜레스테롤, 중성 지방을 낮추는 EPA(에코사 펜테노익산)가 풍부해서 궁극적인 다이어트 식품이라고 할 수 있다. (원 안의 수치는 100g 당 당질 함유량)

Ranking

저당질
어패류 랭킹!
Best 5
당질이 낮은 어패류 중에서도
더욱 당질이 낮은 식재료는?

3위

당질
0~0.1g

흰 살 생선
장어 참치 캔

흰 살 생선, 장어는 당질도 적고 고단백, 저지방.
안심하고 먹을 수 있다. 참치 캔도 마찬가지.

5위

당질
0.4g

바지락

철분이 많은 바지락도 당질이 낮다. 바지락 버터 구이, 된장국, 각종 볶음에 사용해보자.

두툼한 전갱이 살에
생햄과 치즈까지!

당질
1.8g

전갱이소테*

1인분 ▶ 388kcal

재료(2인분)

전갱이…4마리

소금·후춧가루…조금씩

생햄…4장

치즈 가루…2큰술

바질…8장

건조 비지…4큰술

버터…10g

올리브유…1큰술

레몬…¼개

상추…적당량

만들기

1 전갱이는 살을 발라내 소금, 후춧가루를 뿌린다.

2 살 안쪽에 반으로 자른 생햄과 바질을 얹고 치즈 가루를 뿌린 뒤 이쑤시개로 고정한다.

3 2를 건조 비지에 굴려 고루 묻힌 후 버터와 올리브 유를 두른 프라이팬에 올려 익힌다.

4 3을 비스듬히 잘라 그릇에 담고 레몬, 상추를 곁들 인다.

당질 제한 포인트!

밀가루 대신 건조 비지를 뿌려 담백하게 완성한다. 건조 비 지는 고운 게 좋다.

* 소테(Saute) 아주 센 불에서 소량의 기름으로 단시간에 조리 하는 방법을 말한다.

전갱이샐러드

1인분 115kcal

재료(2인분)

전갱이(생선회)…150g	생강…10g
대파…5cm	차조기(또는 깻잎)…3장
양파…1개	유자즙…2작은술
된장…1큰술	간장…1작은술

만들기

1 전갱이살을 칼로 잘게 다져 생강, 차조기, 대파를 넣고 버무린다.
2 1에 된장, 유자즙, 간장을 넣고 버무린다.

당질 제한 포인트!
신선한 전갱이 회와 여러 가지 조미 향료가 어우러진 몸에도 좋은 간식거리.

술안주로도 딱!

당질
2.6g

전갱이 회를
이탈리아풍으로!

당질
2.8g

전갱이카르파초*

1인분 223kcal

재료(2인분)

전갱이(생선회)…150g	소금…⅛작은술
오이…⅓개	파슬리(곱게 다진 것)
양파…⅛개	…1작은술
레몬즙…2큰술	후춧가루…조금
올리브유…2큰술	

만들기

1 양파, 오이를 잘게 썰어 파슬리, 올리브유, 레몬즙, 소금, 후춧가루를 넣고 버무린다.
2 접시에 전갱이 회를 보기 좋게 올리고 그 위에 1을 뿌린다.

당질 제한 포인트!
전갱이는 EPA, DHA 같은 불포화 지방산이 풍부해서 혈액 순환에 아주 좋다.

*카르파초(Carpaccio) 익히지 않은 쇠고기, 사슴고기, 연어, 참치 등에 소스를 뿌려 먹는 이탈리아의 전채 요리를 말한다.

고등어스파이스구이

1인분 ▶ 118kcal

재료(2인분)

고등어(생선을 갈랐을 때 2쪽 중 1쪽) ½마리
소금·후춧가루…조금씩

A ⌈ 마요네즈…1큰술
   ⌊ 카레 가루…½작은술

물냉이·레몬…적당량씩

만들기

1 고등어는 반으로 잘라 소금과 후춧가루를 뿌린다.

2 A를 섞어 짤주머니에 넣고 1에 뿌린 뒤 그릴 또는 200℃로 예열한 오븐에서 15분 굽는다.

3 접시에 담고 물냉이, 레몬 등 자신이 좋아하는 식재료를 곁들인다.

당질 제한 포인트!

마요네즈는 전통 방식의 제품을 사용한다. 가령 칼로리가 절반이라고 선전하는 마요네즈는 당질 함유량이 높으니 주의할 것

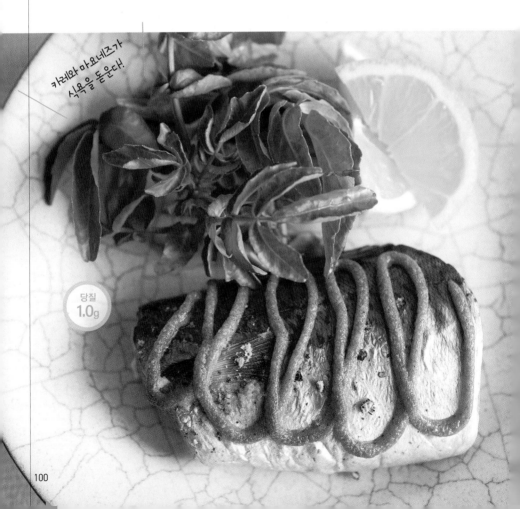

카레와 마요네즈가
식욕을 돋운다!

당질
1.0g

꽁치건두부조림

1인분 424kcal

재료(2인분)

꽁치…2마리
건두부…2개
부추…¼단
마늘·생강…½쪽 분량씩
대파…⅛대

A ┌ 물…300ml
 │ 두반장…⅓작은술
 │ 간장…2큰술
 └ 라칸토S…1큰술

만들기

1 꽁치는 내장과 대가리를 제거한 후 4cm 정도 크기로 자른다. 건두부는 물에 풀어 한 입 크기로 자른다.

2 부추는 1cm 길이로 쫑쫑 썰고 마늘, 생강, 대파는 잘게 썬다.

3 냄비에 A와 2를 넣고 끓이다가 1을 넣고 뚜껑을 닫은 후 중간 불로 10분 정도 조린다.

> **당질 제한 포인트!**
> 일반적으로 매운 양념에는 당질이 함유되어 있으므로 설탕 대신 라칸토S를 사용해 당질을 낮춘다.

당질 8.1g

기름이 듬뿍 올라온 꽁치와 건두부의 빛나는 조화!

고등어허브구이

1인분 308kcal

재료(2~4인분)

고등어…1마리
브로콜리…1통
타임(향신료)…2개
블랙 올리브…6개

마늘…1쪽
로즈메리…2개
소금·후춧가루…조금씩
올리브유…2큰술

만들기

1 고등어는 비스듬히 얇게 자른다. 브로콜리는 하나씩 떼어낸다. 마늘은 편으로 썬다.

2 오븐용 접시에 1, 잘게 찢은 로즈메리, 타임, 블랙 올리브를 넣고 소금과 후춧가루를 뿌린 다음 올리브유를 뿌린다.

3 200℃로 예열한 오븐에 2를 넣어 15분 굽는다.

> **당질 제한 포인트!**
> 허브와 함께 오븐에서 굽기 때문에 향과 더불어 고상한 맛을 풍긴다.

당질 1.7g

허브 덕분에 입안이 개운! 냄새 걱정 끝!

생선살

(OFF)

당질 제한 레시피

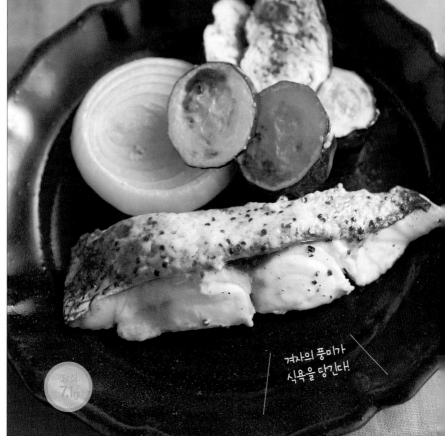

겨자의 풍미가
식욕을 당긴다!

당질
7.1g

참돔겨자구이

1인분 ▶ 246kcal

재료(2인분)

참돔(또는 연어)···2조각

소금·후춧가루···조금씩

A ┌ 마요네즈···2큰술
  │ 겨자(분말)···2작은술
  └ 레몬즙···1작은술

양파···½개

가지···1개

호박···½개

올리브유···적당량

만들기

1 참돔에 소금, 후춧가루를 뿌린 다음 A를 얹는다.

2 양파는 둥글게 썰고 가지와 호박은 1.5cm 두께로 비스듬히 썬다.

3 철판에 1과 2를 얹고 채소에 올리브유와 소금을 뿌린 뒤 200℃로 예열한 오븐에서 10분 굽는다.

당질 제한 포인트!

호박, 마요네즈 모두 당질이 낮으니 안심. 프랑스풍의 요리도 맘껏 즐길 수 있다.

참돔다시마찜

1인분 ▶ 141kcal

재료(2인분)

다시마(사방 10cm)···2장	소금···½작은술
대파···1대	참돔(또는 연어)···2조각
청주(또는 맛술)···2큰술	라임···1개

만들기

1 다시마는 물에 불리고 파는 어슷하게 썬다.

2 다시마와 파, 참돔 살을 포일에 얹고 청주, 소금을 뿌린 후 감싼다.

3 그릴 혹은 오븐에서 10분 굽는다.

4 3에 반으로 자른 라임을 함께 낸다.

당질 제한 포인트!

청주의 당질이 신경 쓰이면 소주를 사용할 것.

참돔의 부드러운 맛이
건강에도 일조!

당질
2.3g

참돔앤초비마늘구이

1인분 ▶ 287kcal

재료(2인분)

참돔 등 흰살 생선···2조각	소금·후춧가루···조금씩
마늘···2쪽	순무···3개
앤초비*···4개	올리브유···1큰술

*앤초비 멸치 따위를 소금과 올리브유에 절여 발효시킨 서양식 젓갈.

만들기

1 참돔 살에 소금, 후춧가루를 뿌린다.

2 순무는 줄기를 조금 남기고 이파리를 전부 제거한 후 껍질을 벗겨 1cm 두께로 썬다. 마늘은 반으로 쪼갠다. 앤초비는 다진다.

3 올리브유를 두른 프라이팬에 먼저 마늘을 익히고 향이 배어 나오면 참돔 살, 순무, 앤초비를 넣고 굽는다.

당질 제한 포인트!

와인 안주로 추천 앤초비도 당질이 낮으니 안심.

당질
6.4g

앤초비의 풍미에
흠뻑 빠지다!

문어치즈샐러드

1인분 261kcal

재료(2인분)

삶은 문어…200g
모차렐라 치즈…100g
양파…¼개
바질…8개
올리브유…2큰술
소금·(굵게 간 검정) 후춧가루·간장
…조금씩

만들기

1 삶은 문어, 모차렐라 치즈를 한 입 크기로 썬다.
2 양파는 반으로 자른 후 얇게 채 썰어 물에 담가 매운맛을 뺀다. 바질은 손으로 찢는다.
3 1과 물기를 제거한 양파, 바질을 한 데 넣고 분량의 올리브유, 소금, 후춧가루, 간장을 넣어 버무려 맛을 낸다.

당질 제한 포인트!
문어, 치즈는 저당질의 환상 콤비 바질을 더하면 이국적인 분위기

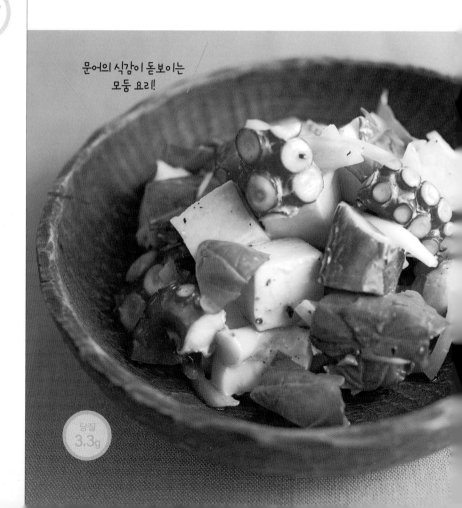

문어의 식감이 돋보이는
모둠 요리!

당질
3.3g

오징어호박튀김

1인분 ▶ 395kcal

재료(2인분)

오징어…1마리
호박…½개
달걀흰자…2개 분량
튀김용 기름…적당량
소금·레몬…적당량씩

A ┌ 달걀노른자…1개 분량
  │ 건조 비지…3큰술
  │ 파르메산 치즈…2큰술
  └ 탄산수…50ml

만들기

1 오징어는 내장을 제거하고 껍질을 벗겨 둥글게 자른다. 다리도 빨판을 제거한 뒤 먹기 쉽게 자른다. 호박은 1cm 두께로 둥글게 자른다.
2 달걀흰자를 거품 내서 A를 넣고 버무린 다음 여기에 1을 적신다.
3 170℃로 끓은 튀김유에 2를 튀긴다. 소금, 비스듬히 자른 레몬을 곁들여 먹는다.

당질 제한 포인트!
달걀흰자, 건조 비지, 치즈에 입힌 튀김옷은 당질이 적다!
반죽 시 탄산수를 첨가하면 사각거리는 식감이 더 좋아진다.

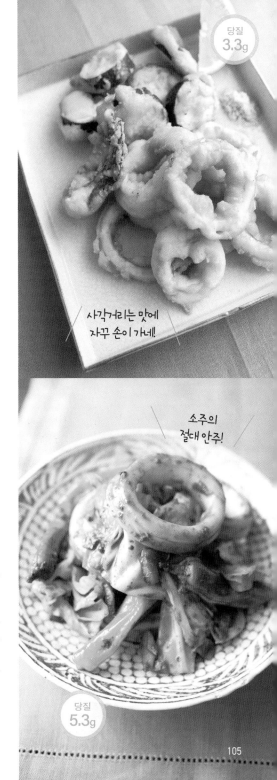

당질
3.3g

사각거리는 맛에
자꾸 손이 가네!

소주의
절대 안주!

당질
5.3g

오징어내장볶음

1인분 ▶ 276kcal

재료(2인분)

오징어…1마리
양배추…200g
올리브유…1큰술
마늘…1쪽

빨간 고추…1개
꽈리고추…10개
소금·후춧가루·간장…조금씩
버터…10g

만들기

1 오징어는 내장과 살을 분리해 내장은 한 입 크기로 자르고 살은 껍질을 벗겨 둥글게 자른다. 다리는 빨판을 제거하고 먹기 좋게 자른다.
2 양배추는 적당한 크기로 썰고 마늘을 얇게 썬다.
3 올리브유를 두른 프라이팬에 마늘, 씨를 뺀 빨간 고추를 볶다가 향이 배어 나오면 오징어, 양배추, 꽈리고추를 순서대로 넣는다.
4 끝으로 내장을 넣고 같이 볶은 후에 소금, 후춧가루, 간장, 버터로 맛낸다.

당질 제한 포인트!
설탕을 넣지 않아도 내장과 버터만으로 충분히 맛있다.

참치 & 참치 캔

OFF 당질 제한 레시피

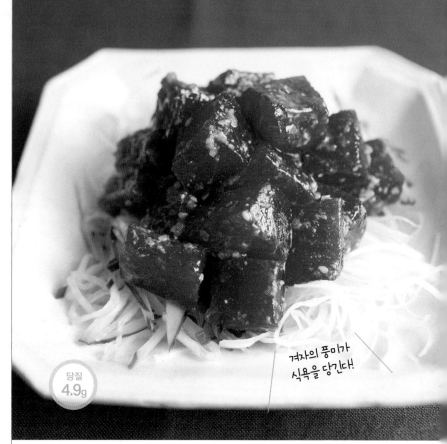

겨자의 풍미가
식욕을 당긴다!

당질
4.9g

참치육회

1인분 146kcal

재료(2인분)

참치…150g
대파…⅓ 대(흰 부분)
오이…½개

A
- 간장…2작은술
- 라칸토S…1작은술
- 고추기름…½작은술
- 된장…½작은술
- 마늘(간 것)…¼작은술
- 생강(간 것)…¼작은술
- 참깨(간 것)…1작은술

만들기

1 참치는 사방 1cm 크기로 썬다. 내열 용기에 넣고 전자레인지에서 30초 가열 후 그대로 식힌다.
2 대파는 흰 부분만 채 썰고 오이도 가늘게 채 썬다.
3 1의 참치를 A에 버무린다.
4 그릇에 2를 담고 3을 올린다.

당질 제한 포인트!

라칸토S 같은 감미료를 적절히 사용하면 다양한 맛을 낼 수 있다.

참치샐러드

1인분 ▶ 343kcal

재료(2인분)

오이…¼개　　　　　　마요네즈…4큰술
양파…¼개　　　　　　건조 비지…100g
참치 캔(작은 것)…1개　소금·후춧가루…조금씩

만들기

1 오이는 모양대로 얇게 썰고 양파는 반으로 잘라 채를 썬 뒤 소금에 절였다가 물기를 뺀다.
2 건조 비지에 참치 캔(국물도 함께), 1, 마요네즈를 넣고 버무린 뒤 소금, 후춧가루로 맛낸다.

> **당질 제한 포인트!**
> 참치 캔은 어떤 방식으로 먹어도 괜찮다. 샐러드나 술안주로도 사용할 수 있는 만능 식재료.

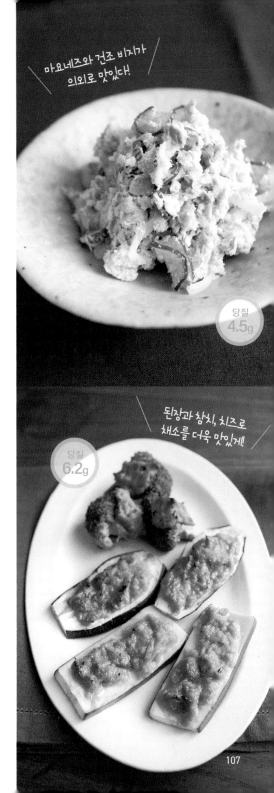

마요네즈와 건조 비지가 의외로 맛있다!

당질 4.5g

참치된장채소구이

1인분 ▶ 198kcal

재료(2인분)

참치 캔(작은 것)…1개　　┌ 된장…1큰술
호박…½개　　　　　　　│ 파르메산 치즈…1큰술
가지…1개　　　　　　 A │ 라칸토S…½큰술
브로콜리…6쪽　　　　　└ 달걀노른자…1개 분량

만들기

1 참치에 A를 넣고 잘 버무린다.
2 호박, 가지는 세로 1cm 두께로 썬다. 브로콜리는 적당한 크기로 자른다.
3 요리용 철판에 2를 가지런히 놓고 1을 그 위에 올린 후 200℃로 예열한 오븐에서 노르스름해질 때까지 10분 구워낸다.

> **당질 제한 포인트!**
> 채소 요리도 참치&된장을 곁들이면 진한 맛이 난다.

된장과 참치, 치즈로 채소를 더욱 맛있게!

당질 6.2g

바지락

당질 제한 레시피

바지락순두부찌개

1인분 ▶ 264kcal

재료(2인분)

바지락(껍데기째)···200g
연두부···¼개(75g)
배추···1장
대파···¼대
말린 표고버섯···1개
마늘···1쪽
닭고기 육수···500ml

A ┌ 간장·참깨(간 것)·라칸토S·참기름
  │ ···1큰술씩
  │ 된장···1작은술
  └ 고춧가루···½작은술

소금·후춧가루···조금씩
달걀···2개

만들기

1 바지락은 잘 씻어 소금물에 담가 해감한다.
2 연두부는 물기를 빼고 먹기 쉽게 부순다. 배추는 3cm 길이로 자르고 대파는 비스듬히 얇게 썬다. 마늘은 잘게 으깬다.
3 말린 표고버섯은 물에 불려 얇게 썰고, 버섯을 불린 물 200ml는 남긴다.
4 냄비에 닭고기 육수, 3의 말린 표고버섯을 담근 물을 넣고 끓여 따뜻해지면 1, 2, 3의 표고버섯을 넣고 바글바글 끓인다.
5 4에 A를 넣은 후 소금과 후춧가루로 간을 하고 달걀을 휘저어 풀어 넣고 조금 더 끓인다.

당질 제한 포인트!

바지락의 맛이 풍기면서 만족감을 얻을 수 있는 일품요리. 연두부 또한 식감이 부드러워 맛있다.

얼큰한 맛으로 포만감 최고!

당질
10.8g

108

바지락양배추와인찜

재료(2인분)

바지락(껍데기째)…300g   마늘…1쪽
레몬…¼개   화이트 와인…100ml
양배추…100g   소금…½작은술
빨간 고추…1개   후춧가루…조금
아스파라거스…3개

만들기

1 바지락은 잘 씻어 소금물에 담가 해감한다. 양배추는 적당한 크기로 썬다. 아스파라거스는 먹기 어려운 줄기, 껍질을 제거하고 비스듬히 3등분으로 썬다. 마늘, 레몬은 얇게 썬다. 빨간 고추는 씨를 뺀다.
2 냄비에 1을 넣고 화이트 와인, 소금, 후춧가루를 뿌린 후 뚜껑을 닫고 센 불로 8분쯤 끓인다.

> **당질 제한 포인트!**
> 양배추는 당질이 낮은 식재료 중 하나. 화이트 와인도 당질이 낮은 쌉쌀한 맛을 선택한다.

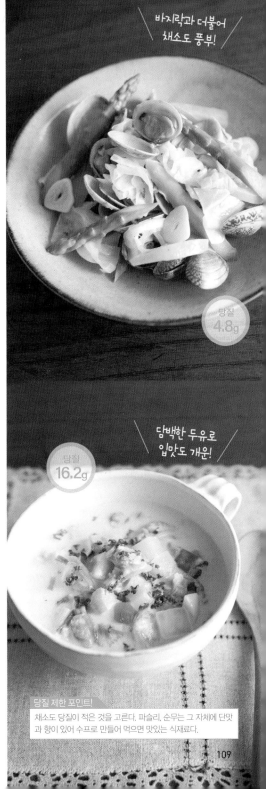

바지락과 더불어 채소도 풍부!

당질 4.8g

바지락두유수프

재료(2인분)

바지락(껍데기째)…300g   베이컨…3장
두유…400ml   순무…1개
화이트 와인…100ml   셀러리…⅓개
된장…1큰술   후춧가루…조금
양파…¼개   파슬리(곱게 다진 것)…조금
    소금…¼작은술

만들기

1 바지락은 잘 씻어 소금물에 담가 해감한다.
2 냄비에 1, 화이트 와인을 넣고 뚜껑을 닫은 후 센 불에 끓인다. 5분쯤 끓여 바지락 껍데기가 벌어지면 살만 빼낸다. 끓인 물은 그대로 놔둔다.
3 양파, 셀러리, 순무는 사방 1cm 크기로 썰고 베이컨은 1cm 폭으로 자른다.
4 2에서 끓인 물이 남은 냄비에 조갯살과 3을 넣고 뚜껑을 닫은 후 끓인다. 음식이 익기 시작하면 두유, 된장, 소금, 후춧가루를 넣는다.
5 그릇에 담고 파슬리를 뿌린다.

담백한 두유로 입맛도 개운!

당질 16.2g

> **당질 제한 포인트!**
> 채소도 당질이 적은 것을 고른다. 파슬리, 순무는 그 자체에 단맛과 향이 있어 수프로 만들어 먹으면 맛있는 식재료다.

콩·대두 가공식품, 달걀, 유제품으로 포만감 높이기!

저당질 콩·대두 가공식품·달걀 랭킹!

Ranking

Best 5

콩. 대두 가공식품, 달걀은 영양도 풍부하고 값싸기에 당질 제한 다이어트에 빼놓을 수 없는 식재료. 칼로리가 높아도 당질이 낮은 것이 있으니 세심한 체크가 필요.

당질 0.3g

2위
달걀

달걀은 영양가가 높고 당질이 낮은 이상적인 식재료. 삶은 달걀, 달걀말이, 오믈렛을 추천한다. 채소를 곁들이면 포만감이 더욱 높아진다.

당질 0.2g

1위
튀김두부

튀김두부는 두부를 기름에 튀긴 것. 칼로리가 높아도 당질이 낮아 추천. 맛과 식감 모두 겸비.

당질 1.2~1.7g

3위
두부

두부는 저칼로리, 저당질이라 다이어트 식단에 적극 활용해야 할 식재료. 이소플라본이 함유되어 있어 미용에도 효과적.

연두부
당질 1.7g

두부
당질 1.2g

양질의 단백질이 풍부한 콩·대두 가공식품, 달걀은 값싸고 다양한 요리에 쓰이는 식재료. 또한 치즈, 생크림도 당질이 적으니 현명하게 이용해보자.(원 안의 수치는 100g 당 당질 함유량)

저당질 유제품 랭킹
Best 3

유제품은 칼로리가 높아 먹기 꺼려지는 식재료. 하지만 버터, 치즈, 생크림은 당질 제한 식재료로 추천한다. 단, 우유는 보통 한 번에 마시는 양이 많을 수밖에 없으니 주의할 것!

1위 버터

당질
0.2g

4위
유부

당질
1.4g

유부도 튀김두부와 마찬가지로 칼로리가 높지만 당질 제한 다이어트로 추천하는 식재료. 맛이 깊어 만족감이 뛰어나다.

2위 치즈

당질
1.3~2.3g

가공 치즈

크림치즈

5위
건조 비지

당질
2.3g

건조 비지는 대두의 영양분이 풍부. 밀가루나 감자 대신 이용하면 건강하면서도 맛있게 먹을 수 있다.

콩의 당질량은?

건조 콩은 당질이 많지만, 삶은 대두나 삶은 강낭콩(붉은 색깔을 띠는 강낭콩)에는 그리 많지 않다. 샐러드, 볶음 요리, 삶은 요리에 사용해서 콩의 영양분을 몸에 듬뿍 받아보자.

3위 생크림

당질
3.1g

기타	플레인 요구르트 - 당질 5g
	우유 - 당질 5g

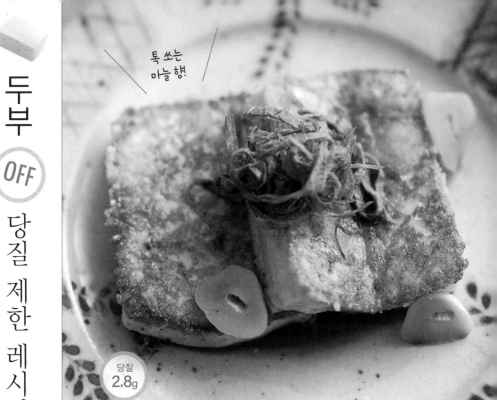

톡 쏘는
마늘 향!

당질
2.8g

두부스테이크

1인분 ▶ 178kcal

재료(2인분)

두부···⅔모(200g)
소금·후춧가루···조금씩
파르메산 치즈···4큰술
식용유···2작은술
차조기(또는 깻잎)···5장

A
마늘(얇게 썬 것)···½쪽 분량
간장···1큰술
화이트 와인···½큰술

만들기

1 두부를 무거운 것으로 눌러 확실히 물기를 뺀 후
1.5cm 두께로 자른다.
2 1에 소금, 후춧가루를 뿌리고 파르메산 치즈를 뿌
린다.
3 식용유를 두른 프라이팬에 2를 골고루 구워 그릇
에 담는다.
4 프라이팬에 A를 넣고 한 번 익힌다.
5 3에 4를 뿌리고 채 썬 차조기를 얹는다.

당질 제한 포인트!
저당질의 파르메산 치즈를 밀가루 대신 뿌려 노르스름하게
구우면 향도 좋고 맛있다.

두부피단샐러드

1인분 213kcal

재료(2인분)

두부…⅓모
아보카도…½개
대파…5cm
마늘·생강…½쪽 분량씩
피단(삭힌 오리알)…1개

참기름…1큰술
간장…2작은술
소금·후춧가루…조금씩
고수…적당량

만들기

1 두부를 무거운 것으로 눌러 확실히 물기를 뺀 후 1.5cm 두께로 자른다. 아보카도, 피단은 1cm 크기로 깍둑썰기 한다.

2 대파, 마늘, 생강은 얇게 썬다.

3 1과 2에 참기름, 간장, 소금, 후춧가루를 넣어 맛을 내고 접시에 담은 후 적당한 크기로 썬 고수를 곁들인다.

당질 제한 포인트!

아보카도, 피단은 저당질이라 안심하고 먹을 수 있는 식재료. 1% 부족한 맛을 참기름이 채워준다.

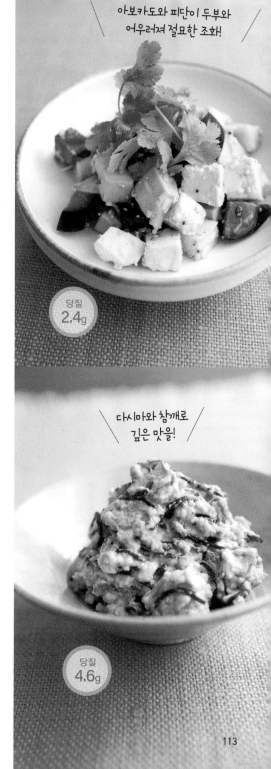

아보카도와 피단이 두부와
어우러져 절묘한 조화!

당질
2.4g

연두부샐러드

1인분 108kcal

재료(2인분)

연두부…½모(150g)
오크라(아열대 채소)…6개
참깨(간 것)…1큰술

간장…2작은술
염장 다시마…15g

만들기

1 연두부는 면포에 감싸 무거운 것으로 눌러 확실히 물기를 뺀 다음 으깬다.

2 오크라는 소금을 뿌려 도마 위에 누르면서 굴린 다음, 삶아서 작게 썬다.

3 염장 다시마는 찬물에 20분 정도 담갔다가 물기를 제거한 다음 채 썬다.

4 1과 2를 볼에 담고 3의 다시마, 참깨, 간장을 넣어 버무려 낸다.

당질 제한 포인트!

연두부보다 일반 두부가 당질이 낮다. 오크라의 쫀득함도 좋은 맛을 내는 비결.

다시마와 참깨로
깊은 맛을!

당질
4.6g

두부햄버그스테이크

1인분 256kcal

재료(2인분)

두부…⅓모(100g)
다진 고기(돼지고기와 쇠고기를
반씩 간 것)…100g
건조 비지(거친 입자)…2큰술
달걀물…1큰술
소금·후춧가루…조금씩
양송이버섯…5개
식용유…1큰술
브로콜리…6쪽

A ┌ 토마토퓌레…1컵
  │ 물…100ml
  │ 콩소메(분말)…1작은술
  └ 간장…2작은술

만들기

1 두부는 무거운 것으로 눌러 확실히 물기를 뺀다.
2 다진 고기에 건조 비지, 달걀물, 1, 소금, 후춧가루를 넣고 잘
버무린 다음 둥글게 빚는다.
3 양송이버섯은 반으로 자르고 브로콜리는 적당히 잘라 소금
물에 데친다.
4 식용유를 두른 프라이팬에 2를 굽는다. 양면이 노르스름해
지면 3의 양송이버섯을 넣고 살짝 익힌 후 A를 넣는다. 익기
시작하면 뚜껑을 닫고 중간 불로 10분 더 익힌다.
5 4에 3의 브로콜리를 넣고 소금과 후춧가루로 맛을 낸다.

당질 제한 포인트!

토마토케첩은 당질이 많으니 토마토퓌레로 당질량을 낮춘다.

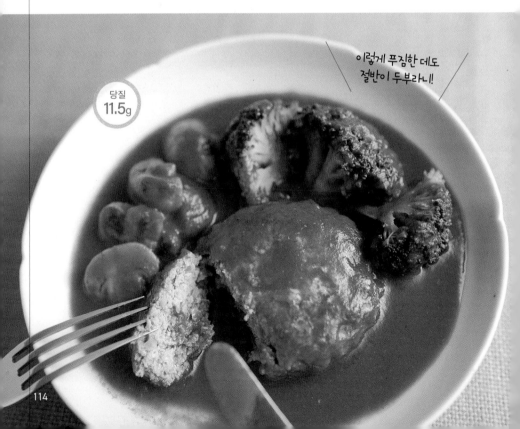

당질
11.5g

이렇게 푸짐한 데도
절반이 두부라니!

두부곤약샐러드

1인분 180kcal

재료(2인분)

연두부…⅓모(100g)
곤약…100g
시금치…100g
느티만가닥버섯…¼팩

A ⌈ 참깨(간 것)…2큰술
　　마요네즈…1큰술
　　라칸토S…1작은술
　　간장…2작은술
　　└ 소금…조금

만들기

1 연두부는 무거운 것으로 눌러 확실히 물기를 뺀 다음 A를 넣고 잘 버무린다.

2 시금치는 소금을 넣은 끓는 물에 삶아 물기를 꽉 짜고, 곤약도 끓는 물에 삶아 적당한 크기로 자른다. 느티만가닥버섯은 밑동을 잘라내고 잘 풀어서 끓는 물에 살짝 데친다.

3 1과 2를 한데 넣고 잘 섞는다.

당질 제한 포인트!

곤약은 당질이 낮고 식감도 뛰어나다. 포만감도 넘쳐 그야말로 다이어트 푸드!

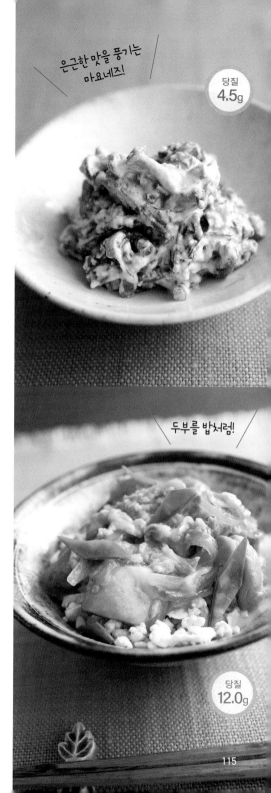

은근한 맛을 풍기는 마요네즈!

당질
4.5g

두부밥

1인분 419kcal

재료(2인분)

두부…1모(300g)
닭고기(다리살)…200g
양파…½개
달걀…2개
풋콩…4꼭지

A ⌈ 육수…200ml
　　간장…2큰술
　　라칸토S…1큰술
　　└ 소금…조금

만들기

1 두부는 확실히 물기를 뺀 후 프라이팬에 넣고 으깨면서 볶는다(수분이 적당히 빠질 때까지).

2 닭고기는 먹기 좋게 한 입 크기로 자르고 양파는 채 썬다. 풋콩은 소금물에 삶아 비스듬히 자른다.

3 냄비에 A를 넣고 끓이다가 2의 닭고기와 양파를 넣고 익힌 다음 달걀을 풀어 넣고 잘 섞는다.

4 그릇에 1을 담고 위에 3을 얹은 후 풋콩을 곁들여 낸다.

당질 제한 포인트!

밥이 그리울 때는 두부가 있다!

두부를 밥처럼!

당질
12.0g

당질
4.9g

유부의 포만감!

유부멘치가스

1인분 ▶ 577kcal

재료(2인분)

유부… 2장
양파 … ¼개
튀김유 … 적당량
양배추(가늘게 채 썬 것) … 적당량
래디시 … 적당량
수제 초간장※ … 2큰술

A ┌ 다진 고기(돼지고기, 쇠고기를 갈아서
  │ 반씩 섞은 것) … 200g
  │ 달걀물 … 1큰술
  └ 소금·후춧가루 … 조금씩

만들기

1 유부는 반으로 자른다.
2 양파는 채 썰어 A와 같이 버무린다.
3 1에 2를 채워 넣고 끝부분을 이쑤시개로 고정시켜 160℃로 끓인 튀김유에 넣어 천천히 튀긴다.
4 3을 접시에 담고 채 썬 양배추와 래디시를 곁들인다. 수제 초간장을 뿌려 먹는다.

당질 제한 포인트!

보통 멘치가스는 밀가루로 튀김옷을 입히기에 빵가루와 마찬가지로 당질투성이 하지만 유부라면 맛도 진하고 저당질이라 안심.

[수제 초간장]
물 50ml에 다시마(사방 5cm 크기)를 담갔다가 빼낸 후 간장 60ml, 유자즙 등의 감귤 계통 즙 50ml를 첨가한다.

유부피자

1인분 510kcal

재료(2인분)

유부…2장
피망…2개
빨간 피망…1개
양파…¼개
베이컨…2장
삶은 달걀…2개

A ┌ 토마토퓨레…3큰술
├ 바질 페스토…1작은술
├ 소금…½작은술
└ 후춧가루…조금

피자용 치즈…40g

만들기

1 유부는 칼집을 넣고 펼친 뒤 안쪽에 A의 재료를 버무려 바른다.
2 피망은 둥글게 자르고 양파는 잘게 썬다. 베이컨은 1cm 폭으로 자르고 삶은 달걀은 얇게 썬다.
3 1에 2의 재료를 적당히 올리고 그 위에 치즈를 뿌린다.
4 오븐(또는 전자레인지)에 5분 굽는다.

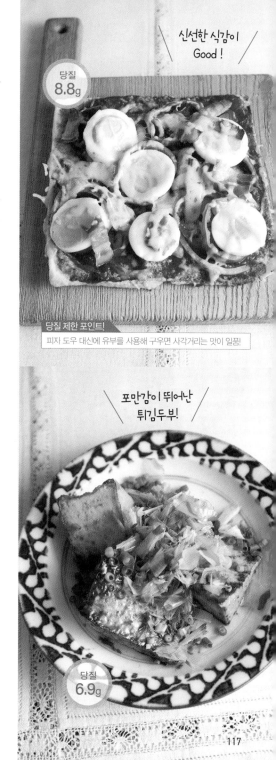

신선한 식감이
Good!

당질
8.8g

당질 제한 포인트!
피자 도우 대신에 유부를 사용해 구우면 사각거리는 맛이 일품!

튀김두부생강구이

1인분 226kcal

재료(2인분)

튀김두부…1개
참기름…2작은술
가다랑어포…적당량
쫑쫑 썬 실파…적당량

A ┌ 생강(간 것)…½작은술
├ 간장…2큰술
└ 라칸토S…1큰술

만들기

1 튀김두부는 8등분한다.
2 참기름을 두른 프라이팬에 1을 넣고 익힌다. 색깔이 노르스름해지면 A를 넣고 조린다.
3 접시에 담고 가다랑어포, 실파를 뿌린다.

당질 제한 포인트!
심플하지만 포만감 풍부한 튀김두부로 당질 제한도 맘 편하게!

포만감이 뛰어난
튀김두부!

당질
6.9g

달걀

OFF

당질 제한 레시피

채소오븐오믈렛

1인분 ▶ 272kcal

재료(2인분)

느타리버섯(큰 것)⋯½개
빨간 파프리카⋯¼개
아스파라거스⋯2개
코티지 치즈⋯3큰술

A ⎡ 달걀물⋯3개 분량
　　소금⋯½작은술
　　후춧가루⋯조금
　⎣ 생크림⋯50ml

만들기

1 느타리버섯과 파프리카는 잘게 썰고, 아스파라 거스는 먹기 어려운 줄기와 껍질을 제거하고 비스 듬히 잘게 썬다.

2 내열용 용기에 1을 넣고, 재료대로 잘 섞은 A를 뿌린 후 코티지 치즈를 그 위에 흩뿌린다.

3 220℃로 예열한 오븐에 15~20분 굽는다.

당질 제한 포인트!

달걀, 생크림, 코티지 치즈는 저당질 삼형제. 포만감도 있으 면서 진한 맛!

푸짐하고, 맛있고!

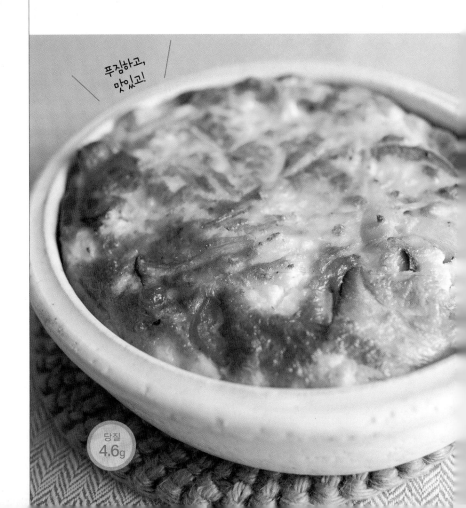

당질
4.6g

낫토치즈오믈렛

1인분 ▶ 236kcal

재료(2인분)

달걀…3개
소금…¼작은술
낫토…1팩
후춧가루…조금

피자용 치즈…20g
실파(잘게 썬 것)…1큰술
버터…10g

만들기

1 버터를 제외한 나머지 재료를 섞는다.
2 버터를 두른 프라이팬에 1을 넣고 익혀 오믈렛을 만든다.

당질 제한 포인트!

피자용 치즈를 충분히 써도 안심. 아침 식사로 안성맞춤!

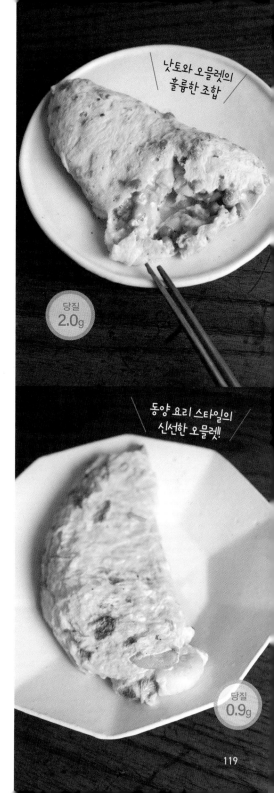

낫토와 오믈렛의 훌륭한 조합

당질 2.0g

아시안오믈렛

1인분 ▶ 180kcal

재료(2인분)

새우(껍질 깐 것)…50g
남플라…1작은술
달걀…3개

후춧가루…조금
고수…30g
버터…10g

만들기

1 새우는 등 내장을 제거한다.
2 볼에 달걀을 푼 다음 적당히 썬 고수, 남플라, 후춧가루를 섞는다.
3 버터를 두른 프라이팬에 1을 살짝 구운 후 2를 넣고 오믈렛을 만든다.

당질 제한 포인트!

쫀득한 새우도 저당질. 식감에 변화를 주어 질리지 않고 먹을 수 있다.

동양 요리 스타일의 신선한 오믈렛!

당질 0.9g

건조 비지로 만든
화이트소스가 일품!

당질
7.1g

달걀그라탱

1인분 901kcal

재료(2인분)

닭고기(다리)···½개
양파···¼개
삶은 달걀···2개
버터···10g
수제 화이트소스*···1컵
피자용 치즈···40g
파슬리(잘게 썬 것)···적당량

만들기

1 닭고기는 작게 썰고 양파는 가늘게 채 썬다.
2 삶은 달걀은 슬라이스한다.
3 버터를 두른 프라이팬에 1을 볶는다.
4 내열용 접시에 3을 넣고 그 위에 2를 가지런히 늘어놓은 후
화이트소스, 치즈를 뿌린다.
5 220℃로 예열한 오븐에서 10분 굽는다. 마무리로 파슬리를
뿌린다.

당질 제한 포인트!

삶은 달걀은 당질 제한 다이어트의 강력한 지원자. 출출할 때 먹기 좋다.
한꺼번에 삶아놓고 그라탱, 샐러드에 수시로 사용하자.

[수제 화이트소스]

프라이팬에 버터 20g을 넣고 녹이다가 건조 비지
5큰술을 넣고 볶는다. 생크림 200ml를 첨가하고
분말 콩소메와 소금은 각각 ½작은술씩, 후춧가
루는 조금 넣어 맛낸다.

굴치즈피카타*

1인분 262kcal

재료(2인분)

굴(깐 것)···150g	┌ 달걀물···2개 분량
식용유(또는 참기름) A	파르메산 치즈···3큰술
···1큰술	└ 소금···¼작은술
건조 비지···1큰술	레몬(또는 고추기름, 간장)···적당량

*피카타 고기 따위를 얇게 썰어 굽고 소스와 레몬즙을 곁들인 요리.

만들기

1 굴은 소금을 뿌려 잘 씻은 후 물기를 뺀 다음 건조 비지를 바른다.
2 1에 A를 넣어 잘 섞은 후 식용유를 두른 프라이팬에서 굽는다. 도중에 프라이팬의 달걀물을 조금씩 위로 뿌리면서 양쪽을 완전히 굽는다.
3 접시에 담고 기호에 맞춰 레몬을 뿌리거나 고추기름 혹은 간장을 뿌린다.

당질 제한 포인트!

파르메산 치즈와 달걀로 입힌 튀김옷은 저당질. 모양이 부드럽게 부풀어 오르면서 맛있다.

당질
4.9g

굴의 쫀득한 식감과
비지 튀김옷의 조화!

멸치달걀말이

1인분 183kcal

재료(2인분)

대파···⅓대	┌ 마른 멸치···2큰술
식용유···1큰술 A	마요네즈···1큰술
달걀···3개	└ 국간장···1작은술

만들기

1 대파는 잘게 썬다.
2 달걀은 잘 휘저어서 1과 A를 넣고 잘 섞는다.
3 프라이팬에 식용유를 살짝 둘러 달군 후 2를 적당량 넣고 굽기, 말기를 반복하면서 달걀말이를 만든다.
4 먹기 좋게 잘라 접시에 담는다.

당질 제한 포인트!

마요네즈가 맛을 더욱 진하게 한다.

당질
1.6g

마요네즈가 맛을
야들야들하게!

달걀과 두부가 부드러운
식감을 더해준다!

당질
3.3g

두부가리비달걀찜

1인분 95kcal

재료(2인분)

A ⎡ 달걀물…1개 분량
   닭고기 육수…150ml
   소금…⅓작은술
  ⎣ 국간장…⅓작은술

두부…50g
가리비(통조림)…40g
완두콩…1큰술
구기자 열매…1작은술

만들기

1 A를 잘 버무려 준비한다.
2 두부는 물기를 제거한 다음 1.5cm로 깍둑썰기 하고 가리비 통조림은 건더기만 건져 놓는다.
3 내열용 그릇에 1과 2를 넣고 완두콩과 물에 불린 구기자 열매를 얹는다.
4 찜기를 불에 올려 물이 끓어오르면 3을 넣고 10분 더 찐다.

당질 제한 포인트!

달걀과 두부처럼 안심할 수 있는 식재료를 사용한 데다 식감도 뛰어나다. 가리비 통조림도 맛이 뛰어나기에 추천.

동결 건두부의 식감이
매우 흡족!

당질
5.2g

건조두부달걀탕

1인분 ▶ 319kcal

재료(2인분)

건두부…½모
말린 표고버섯…2개
돼지고기(잘게 자른 것)…100g
달걀물…2개 분량
실파(잘게 썬 것)…적당량

A ┌ 육수(물에 불린 말린 표고버섯 즙도 같이)
  │   …200ml
  │ 국간장…2작은술
  │ 라칸토S…2작은술
  └ 소금…조금

만들기

1 건두부, 말린 표고버섯은 각각 물에 불린다. 두부는 물기를 잘 짜서 8등분하고 표고버섯은 채 썬다.
2 냄비에 A를 넣고 끓이다가 돼지고기와 1을 넣고 중간 불에서 5분 더 끓인다.
3 2에 달걀물을 넣고 반숙이 되면 불을 끈다.
4 3을 접시에 올리고 실파를 뿌린다.

당질 제한 포인트!

칼슘과 철분이 풍부한 동결 건두부는 추천 식재료. 육수가 스며들어 식감도 풍부할뿐더러 포만감도 뛰어나다.

123

채소·과일도 잘 골라보자!

저당질 채소·과일
랭킹!

Best 5

잎채소는 당질이 낮으니 많이 먹도록 하자.
호박, 감자 종류는 당질이 높으니
안 먹는 게 상책.

1위

당질
0~1.3g

숙주·콩나물

대두, 콩나물은 당질 제로. 숙주도 저당질. 나물
이나 국, 볶음 요리에 사용하면 좋다. 값싼 콩나
물로 가계부도 다이어트하자!

콩나물
당질 0g

4위

브로콜리

비타민 C가 풍부한 브로콜리는 미용에도
효과적인 식재료. 삶고 굽고 데쳐서 먹어
보자.

당질
0.8g

숙주
당질 1.3g

비타민, 미네랄, 식이 섬유가 풍부한 채소.
다이어트 기간 중에는 채소 위주로 먹겠다는 사람이 많지만, 당질이 많은
채소도 있으니 신중히 선택하는 게 중요.(원 안의 수치는 100g 당 당질 함유량)

2위

당질
0.3~0.8g

푸른 채소

베타 카로틴, 비타민 C, 칼슘, 철분, 식이 섬
유가 풍부하게 함유된 푸른 채소는 많이 먹
어도 좋다. 찌개, 볶음 요리에도 활용하자.

로메인
당질 0.5g

청경채
당질 0.8g

쑥갓
당질 0.7g

시금치
당질 0.3g

3위

당질
0.4~1.7g

상추·양상추

상추류는 많이 먹어도 된다. 샐러드에 활용
하면 비타민, 미네랄을 효율적으로 섭취할
수 있다.

상추
당질 0.4g

꽃상추
당질 1.2g

양상추
당질 1.7g

5위

당질
0.9g

아보카도

비타민 E가 풍부하고 노화 방지에도 효과
있는 아보카도는 술안주로도 최고. '숲의 버
터'라고 일컬어질 만큼 고소하고 진한 맛을
숨기고 있다.

기타　셀러리 - 당질 1.7g
　　　호박 - 당질 1.5g

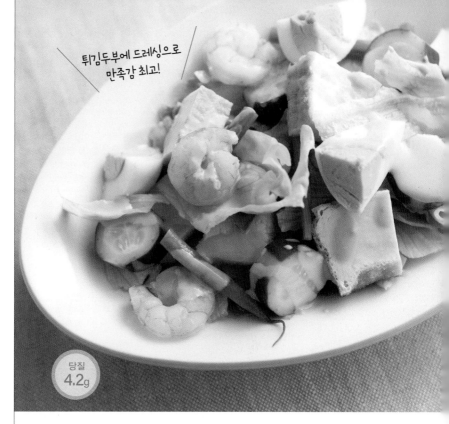

튀김두부에 드레싱으로
만족감 최고!

당질
4.2g

튀김두부양상추샐러드

1인분 ▶ 281kcal

재료(2인분)

튀김두부…½개
양상추(큰 것)…2장
오이…⅓개
그린빈…5개
삶은 달걀…1개
새우(껍질 깐 것)…6마리
유자·참깨·된장 드레싱※…적당량

[유자·참깨·된장 드레싱]
참깨 2큰술, 육수·유자즙·국간장
각각 1큰술, 생강즙·된장 각각 ½
작은술을 넣고 잘 섞는다.

만들기

1 튀김두부는 뜨거운 물에 데쳐 기름기를 제거한
뒤 한 입 크기로 자른다.
2 양상추는 먹기 좋은 크기로 찢는다. 오이는 필러
로 껍질을 벗겨 1cm 폭으로 자른다. 그린빈은 소
금물에 삶아 3등분한다.
3 삶은 달걀은 한 입 크기로 자른다. 마른 새우는
껍질을 벗겨내고 삶아둔다.
4 1, 2, 3을 모두 접시에 담고 유자·참깨·된장 드레
싱을 뿌려준다.

당질 제한 포인트!

튀김두부, 삶은 달걀, 새우는 식감도 좋지만 저당질 다이어
트에 알맞은 식재료. 단백질도 많이 섭취할 수 있어 샐러드
로 안성맞춤.

동결 건두부를
크루통 스타일로!

당질
5.3g

시저샐러드

1인분 524kcal

재료(2인분)

로메인, 양상추 등 잎채소…5장
건두부※…1모
튀김유…적당량
베이컨…3장
파르메산 치즈(덩어리)…20g
시저 드레싱※…적당량

[시저 드레싱]
마요네즈 4큰술, 레몬즙 2큰술, 겨
자 가루 2작은술, 앤초바·마늘(잘
게 썬 것)·간장 각각 ⅓작은술, 소
금·후춧가루 조금씩을 넣고 잘 섞
는다.

만들기

1 잎채소는 손으로 먹기 좋은 크기로 찢고 찬물에 담가 빳빳해지
면 물기를 잘 뺀다.
2 동결 건두부는 물에 불린 뒤 물기를 적당히 제거하고 1cm 크
기로 깍둑썰기 한 뒤 170℃ 튀김유에 넣어 튀긴다.
3 베이컨은 2cm 폭으로 잘라 프라이팬에 올려 쫀득거릴 때까지
굽는다.
4 그릇에 1, 2, 3을 담고 파르메산 치즈를 대패질하듯 깎아서 흩
뿌린다. 그 위에 시저 드레싱을 뿌린다.

당질 제한 포인트!

파르메산 치즈&마요네즈는 고칼로리의 조합이지만, 당질이 낮으니 안심.
빵을 튀기는 크루통 대신에 동결 건두부를 사용하는 것도 당질 제한의 굿
아이디어.

콩이 한가득!
신선한 허브 드레싱!!

당질
4.7g

루콜라강낭콩샐러드

1인분 253kcal

재료(2인분)

루콜라…60g
로스햄…4장
강낭콩(삶은 것)…½컵
커티지 치즈…3큰술
허브 드레싱*…적당량

만들기

1 루콜라는 2cm 폭으로 자른다. 로스햄은 1.5cm 크기로 깍둑
썰기 한다. 물기를 뺀 강낭콩, 코티지 치즈를 더해 잘 버무린다.
2 그릇에 1을 담고 허브 드레싱을 뿌린다.

당질 제한 포인트!

콩도 적극적으로 추천하는 식재료. 하지만 강낭콩은 당질이 높은 편이므
로 대두를 사용하면 보다 당질 제한에 도움이 된다.

[허브 드레싱]

기호에 맞춰 딜, 바질 같은 허브 1장을 잘게 자른 뒤
화이트 와인 비네거 1큰술, 올리브유 2큰술, 소금 ½
작은술, 후춧가루 조금을 넣고 잘 버무린다.

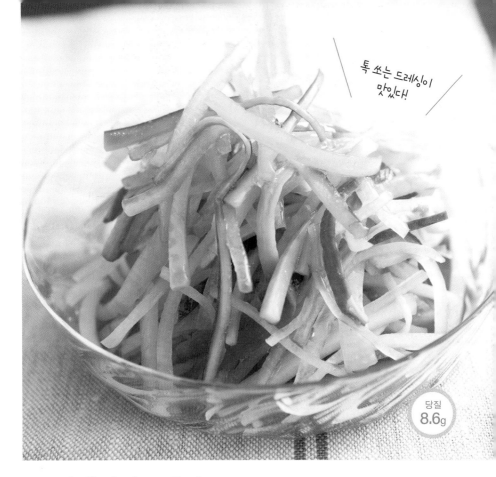

톡 쏘는 드레싱이
맛있다!

당질
8.6g

오이셀러리무샐러드

1인분 179kcal

재료(2인분)

오이…⅓개
셀러리…¼개
무…4cm
게살 어묵…4개
고추냉이 드레싱*…적당량

만들기

1 오이, 셀러리, 무는 잘게 채 썰고 게살 어묵은 손으로 잘게 찢는다.
2 1의 재료를 잘 버무려 그릇에 담고 고추냉이 드레싱을 뿌려 먹는다.

당질 제한 포인트!

근채류 중에서도 무, 오이는 당질이 낮다. 셀러리는 식감이 좋아 샐러드 재료로 좋다. 게살 어묵은 1개(20g)당 당질이 1.8g으로 높은 편이니 많이 먹지 않도록.

[고추냉이 드레싱]

식용유·간장·레몬·유자즙 각각 2큰술. 고추냉이 ⅓작은술을 잘 섞는다.

심플하기에 드레싱에 더 신경을 쓴다!

당질
8.4g

양상추샐러드

1인분 152kcal

재료(2인분)

양상추···1개
래디시···4개
양송이버섯···4개
양파 드레싱*···적당량

만들기

1 양상추는 먹기 좋게 손으로 찢고 래디시는 얇게 슬라이스한 뒤 모두 찬물에 담가 탱탱해지면 물기를 잘 뺀다. 양송이버섯은 얇게 썬다.
2 1을 그릇에 담고 양파 드레싱을 뿌려 먹는다.

당질 제한 포인트!

양파는 당질이 많은 식재료이지만, 진한 맛과 단맛을 함께 내므로 드레싱에 약간 사용하는 것은 좋다.

[양파 드레싱]

양파(간 것) ¼개 분량, 마늘(간 것) ½개 분량(5g), 화이트 와인 비네거·식용유 각각 2큰술, 간장·라칸토S 각각 1큰술, 소금 ⅓작은술, 후춧가루 조금을 넣고 잘 섞는다.

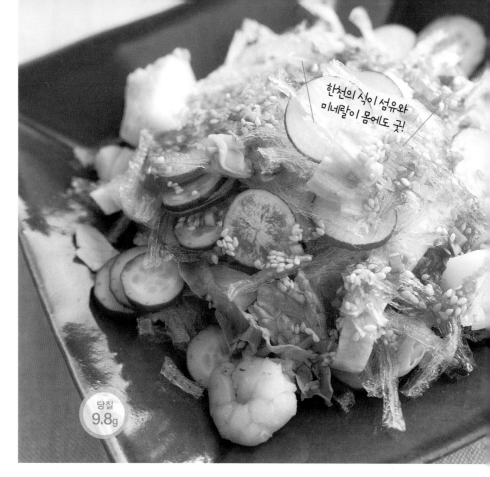

한천의 식이 섬유와 미네랄이 몸에도 굿!

당질
9.8g

실한천샐러드

1인분 ▶ 313kcal

재료(2인분)

실한천…20g
양상추…1장
오이…¼개
래디시…2개
냉동 시푸드 믹스…80g
중국식 드레싱*…적당량

만들기

1 실한천은 물에 담근 후 물기를 잘 뺀다.
2 양상추는 1cm 폭으로 잘게 썰고 오이와 래디시는 얇고 둥글게 썬다. 냉동 시푸드 믹스는 뜨거운 물에 데친 후 한 김 식힌다.
3 1과 2를 접시에 담고 중국식 드레싱을 뿌려서 먹는다.

당질 제한 포인트!

실한천은 샐러드, 국 종류에도 사용하기 편한 식재료. 시푸드 믹스도 당질이 낮아 안심하고 사용할 수 있다.

[중국식 드레싱]

대파(다진 것) 1큰술, 마늘·생강(얇게 썬 것) 각각 ½개 (5g), 참기름·레몬즙·간장 각각 2큰술, 참깨(간 것)·라칸토S 각각 1큰술, 고추기름 ½작은술을 넣고 잘 섞는다.

숙주를 듬뿍 넣은
베트남식 요리!

당질
15.5g

숙주달걀쌈

1인분 ▶ 303kcal

재료(2인분)

숙주…½팩(100g)
양파…¼개
새우(껍질 깐 것)…80g
돼지기름(없으면 식용유)…1큰술
돼지고기(간 것)…80g

A ┌ 남플라…2작은술
  └ 소금·후춧가루…조금씩

달걀물…달걀 2개 분량
상추…4장
고수·차조기(또는 깻잎)…적당량씩

B ┌ 남플라·라칸토S…2큰술씩
  │ 라임즙…1큰술
  │ 고춧가루…한 줌
  └ 다진 마늘…½쪽 분량

만들기

1 숙주는 뿌리를 다듬고, 양파는 얇게 썬다. 새우는 등 내장을 제거한다.

2 돼지기름(혹은 식용유)을 두른 프라이팬에 돼지고기(간 것), 1의 새우, 양파, 콩나물 순으로 볶는다. A로 맛을 낸 후 접시에 담아놓는다.

3 프라이팬에 달걀 푼 것을 얇게 부친 뒤 2를 그 안에 집어넣고 반으로 접는다.

4 그릇에 담고 상추, 고수, 차조기를 곁들인다. 상추로 싸서 B에 찍어 먹는다.

당질 제한 포인트!

사각거리는 숙주 볶음을 달걀로 얇게 싼 베트남 스타일의 요리. 상추로 싸서 먹으면 금상첨화!

숙주동그랑땡

1인분 ▶ 251kcal

당질
5.3g

재료(2인분)

숙주…½팩(100g)
차조기(또는 깻잎)…6장
대파…5cm
식용유…1큰술
닭고기(간 것)…150g
달걀물…2큰술

A ┌ 간장…1큰술
　 └ 라칸토S…2작은술

소금…⅓작은술
두부 비지…1큰술

만들기

1 숙주는 뿌리를 다듬고, 대파는 잘게 썬다.
2 1, 닭고기(간 것), 달걀 푼 것, 소금, 두부 비지를
잘 섞은 뒤 6등분해 둥글게 빚는다.
3 2를 차조기로 싸서 식용유를 두른 프라이팬에
양면을 구운 후 뚜껑을 닫고 어느 정도 익으면 A를
넣고 잘 섞어서 익힌다.

당질 제한 포인트!
숙주 덕분에 고기의 양이 적어도 포만감은 만점. 당질과 더
불어 칼로리도 억제할 수 있다.

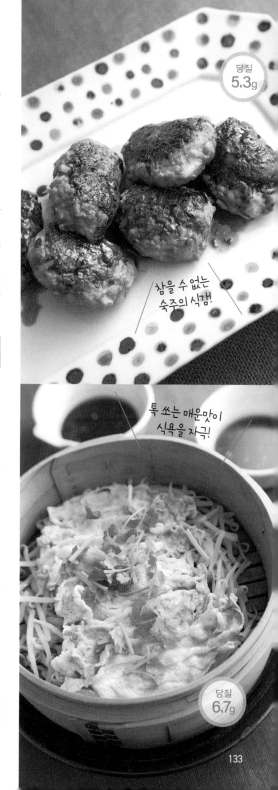

참을 수 없는
숙주의 식감!

숙주돼지고기찜

1인분 ▶ 261kcal

톡 쏘는 매운맛이
식욕을 자극!

재료(2인분)

숙주…1팩(200g)
돼지고기(얇게 썬 것)
…150g
소금…조금
고수…적당량

A ┌ 다진 마늘·생강
　 …½쪽 분량씩
　 간장…4큰술
　 닭고기 육수…2큰술
　 레몬즙…1큰술
　 └ 두반장…1작은술

만들기

1 숙주는 뿌리를 다듬어 찜통 판에 넓게 펼쳐넣는
다. 그 위에 돼지고기를 올리고 소금을 뿌린다.
2 찜통을 불에 올리고 물이 끓어오르면 1을 얹고 뚜
껑을 닫아 10분 찐다.
3 2에 적당히 자른 고수를 얹고 A에 찍어 먹는다.

당질 제한 포인트!
닭고기를 쪄서 먹으면 불필요한 지방도 제거되어 칼로리도
낮아진다. 마늘, 생강이 들어간 소스만의 매력이 있다.

당질
6.7g

숙주쇠고기볶음

1인분 245kcal

재료(2인분)

숙주…1팩(200g)
마늘…½쪽(잘게 썬 것)
식용유…1큰술
쇠고기(잘게 썬 것)…100g
소금…½작은술
후춧가루…조금
간장…1작은술

만들기

1 숙주는 뿌리를 다듬고, 마늘은 얇게 썬다.
2 식용유를 두른 프라이팬에 마늘을 볶아 향을 내고 쇠고기,
숙주 순서대로 볶는다. 소금, 후춧가루, 간장으로 간한다.

당질 제한 포인트!

소금, 후춧가루, 간장만으로 맛을 내는 것이 중요 포인트. 숙주가 많으니
쇠고기는 다소 양이 적어도 괜찮다.

숙주와 쇠고기로
포만감 최고!

당질
2.5g

숙주닭가슴살무침

1인분 ▶ 153kcal

재료(2인분)

숙주…¾팩(150g)
닭가슴살…2쪽

A
- 참깨(간 것)·간장…1큰술씩
- 참기름…2작은술
- 고추냉이…½작은술
- 소금·후춧가루…조금씩

만들기

1 숙주 뿌리를 다듬어 뜨거운 물에 살짝 데친 후 물기를 뺀다.

2 닭가슴살은 뜨거운 물에 익힌 후 먹기 좋게 손으로 찢는다.

3 1에 2와 A를 넣고 무친다.

당질 제한 포인트!
콩나물 덕분에 고기의 양이 적어도 포만감은 만점. 당질과 더불어 칼로리도 억제할 수 있다.

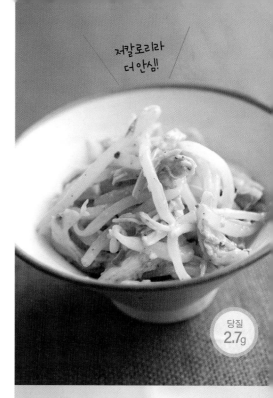

저칼로리라 더 안심!!

당질
2.7g

콩나물쇠고기국

1인분 ▶ 167kcal

재료(2인분)

쇠고기(얇게 썬 것)…60g
닭고기 육수…400ml
콩나물…½팩(100g)
시금치…50g
대파…⅓대

다진 마늘·생강…½쪽 분량씩
참기름…2작은술

A
- 간장·된장…1큰술씩
- 라칸토S…2작은술
- 고춧가루…½작은술

만들기

1 쇠고기는 먹기 좋은 크기로 썬다. 숙주는 뿌리를 다듬고 시금치는 적당한 길이로 자른다. 대파는 4cm 길이로 자른 후 다시 얇게 썬다. 마늘, 생강은 얇게 썬다.

2 참기름을 두른 냄비에 1의 마늘, 생강을 향이 날 때까지 볶은 후 쇠고기, 대파, 숙주, 시금치의 순서대로 볶는다.

3 닭고기 육수를 넣고 5분 끓여서 A로 맛낸다.

당질 제한 포인트!
라칸토S 같은 감미료로 단맛을 내기에 진한 맛이 난다. 단품으로도 배를 채울 수 있다.

매운맛의 콩나물국은 지방 연소에 효과적!

당질
7.4g

담백하고 매콤한 맛에
자꾸 손이 간다!

당질
5.8g

시금치카레

`1인분` ▶ 300kcal

재료(2인분)

양파…⅛개
시금치…150g
마늘…½쪽
올리브유…1큰술
빨간 고추(말린 것)…1개
쇠고기(간 것)…100g

A ┌ 토마토퓌레…¼ 컵
  │ 레드 와인…2큰술
  │ 콩소메(분말)…⅓작은술
  └ 카레 가루…2작은술

B ┌ 간장…1작은술
  │ 소금…½작은술
  └ 후춧가루…조금

커티지 치즈…4큰술
포치드 에그(수란)※…2개

만들기

1 양파를 잘게 다지고 시금치는 1cm 길이로 쫑쫑 썬다. 마늘은 다진다.
2 올리브유를 두른 프라이팬에 1의 마늘과 씨를 뺀 마른 고추를 잘게 썰어 넣고 볶다가 다진 쇠고기, 1의 양파, 시금치의 순서대로 넣고 함께 볶는다.
3 2에 A를 넣고 끓어오르면 뚜껑을 닫고 약한 불로 10분 더 끓인다.
4 3에 B를 추가해 맛을 낸 후 그릇에 담아 커티지 치즈, 포치드 에그를 위에 올린다.

당질 제한 포인트!

카레는 아무래도 밥이 생각나게 만드는 요리. 포치드 에그,
커티지 치즈를 더해 부드러운 맛으로.

[포치드 에그]
물을 끓여 식초를 조금 넣고 불을 약하게 한 후 달걀을 깨서 살짝 넣는다. 젓가락으로 흰자를 모아 노른자를 감싸는 느낌으로 마무리한다.

청경채새우볶음

1인분 96kcal

재료(2인분)

청경채⋯2개	식용유⋯2작은술
로스햄⋯3장	후춧가루⋯조금
건새우⋯2큰술	간장⋯1작은술
소금⋯조금	

만들기

1 청경채는 적당히 자른다. 로스햄은 5mm 폭으로 잘게 자른다.

2 식용유를 두른 프라이팬에 1과 건새우를 같이 볶고 소금, 후춧가루, 간장으로 맛낸다.

당질 제한 포인트!

로스햄은 고기 함량이 많고 당질이 적은 것을 고르면 더욱 안심. 건새우는 칼슘이 풍부하니 적극적으로 사용하자.

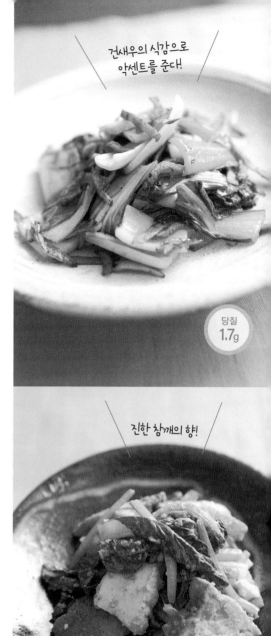

건새우의 식감으로 악센트를 준다!

당질 1.7g

소송채참깨볶음

1인분 255kcal

재료(2인분)

튀김두부⋯½장	참기름⋯1큰술
소송채⋯200g	간장⋯1큰술
닭고기 육수(분말)	참깨(간 것)⋯2큰술
⋯1작은술	

만들기

1 튀김두부는 한 입 크기로 자른다. 소송채는 적당히 자른다.

2 참기름을 두른 프라이팬에 1을 볶는다. 닭고기 육수, 간장, 참기름으로 맛낸 후 참깨를 뿌려 살짝 버무린 후 접시에 담는다.

당질 제한 포인트!

포만감 있는 튀김두부는 배를 채워주는 필수 식재료. 당질이 낮으니 많이 먹어도 안심.

[소송채]

소송채는 칼슘이 시금치의 5~6배나 더 많은 채소로 시금치보다 떫은 맛이 적어 새싹 채소나 쌈으로 먹어도 좋다.

진한 참깨의 향!

당질 2.8g

소송채포타주

1인분 ▶ 620kcal

재료(2인분)

대파···10cm
베이컨···2장
소송채···150g
버터···20g

A ┌ 물···200ml
　└ 콩소메(분말)···½작은술

생크림···200ml
소금···½작은술
후춧가루···조금
잣···1큰술

만들기

1 대파는 잘게 썰고, 베이컨은 1cm 폭으로, 소송채는 숭덩숭덩 썬다.

2 냄비에 버터를 녹여 대파, 베이컨, 소송채 순서대로 볶는다. A를 넣고 5분 끓인다.

3 2를 믹서에 넣고 생크림을 부어 함께 갈아 부드럽게 만든다.

4 냄비로 다시 옮겨 따뜻하게 한 후 후춧가루로 맛낸다. 그릇에 담아 잣을 뿌려 먹는다.

당질 제한 포인트!

우유보다 생크림을 사용한 포타주가 맛도 진하고 촉촉한 맛이 난다. 게다가 당질도 낮아진다. 아침 식사로 적당하다.

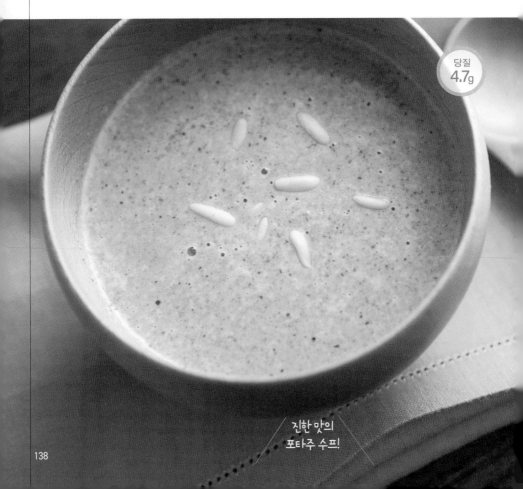

당질
4.7g

진한 맛의
포타주 수프!

시금치파가름무침

1인분 212kcal

재료(2인분)

시금치···200g
간장···2작은술
식용유···2큰술

A ┌ 대파···5cm
  │ 양파···⅛개
  └ 다진 마늘·생강···½쪽 분량씩

만들기

1 A의 재료는 각각 다진 후 식용유를 두른 프라이팬에 충분히 익도록 볶는다.
2 시금치는 소금물에 삶은 뒤 물기를 빼서 적당히 자른다.
3 접시에 2를 담고 1을 뿌린 후 간장을 뿌려 먹는다.

당질 제한 포인트!

비타민, 미네랄이 풍부한 시금치는 삶으면 많이 먹을 수 있다. 파가름이 신진대사를 촉진시킨다.

파가름과 함께라면 시금치도 많이 먹을 수 있다!

당질
2.4g

경수채볶음

1인분 120kcal

재료(2인분)

경수채···200g
멸치(치어 말린 것)···3큰술
생강···½쪽
식용유···1큰술
유자후춧가루···⅛작은술
간장···2작은술

만들기

1 경수채는 적당히 자른다. 생강은 얇게 썬다.
2 식용유를 두른 프라이팬에 간장과 멸치를 넣고 볶다가 향이 배어 나오면 경수채를 넣고 살짝 볶은 후 유자후춧가루, 간장으로 맛낸다.

당질 제한 포인트!

사각거리는 식감의 경수채도 다이어트에 알맞은 식재료. 멸치 치어 말린 것은 칼슘을 확실히 보충해준다.

[경수채]
경수채는 수분 함량이 풍부하고 쌈은 물론 조림이나 전골 등에 많이 쓰인다. 특히 고기의 누린내를 없애주는 효과가 탁월하다.

혀를 톡 쏘는 유자후춧가루로 맛있게!

당질
2.6g

139

버섯 OFF 당질 제한 레시피

허브 향으로 짠맛을
줄이는 효과!

당질
11.8g

버섯허브볶음

1인분 ▶ 299kcal

재료(2인분)

표고버섯…6개
새송이…2개
팽이버섯…1팩
훈제 소시지…3개
올리브유…1큰술
마늘(얇게 썬 것)…½ 분량
병아리콩(삶은 것)…½컵
로즈메리…1장
화이트 와인…150㎖
소금…½작은술
후춧가루…조금

만들기

1 표고버섯은 밑동을 잘라내고 얇게 자른다. 느타리
버섯은 반으로 자른 후에 얇게 썬다. 팽이버섯은 밑
동을 잘라내고 손으로 풀어준다. 훈제소시지는 1㎝
폭으로 비스듬히 자른다.
2 올리브유를 두른 냄비에 마늘을 넣고 볶다가 향이
배어나오면 1, 병아리콩을 넣고 살짝 볶는다.
3 2에 로즈메리와 화이트 와인을 넣고 어느 정도 익
으면 중간 불로 2분 더 끓인다. 소금, 후춧가루로 맛
낸다.

당질 제한 포인트!

훈제 소시지 대신 일반 소시지를 사용해도 된다. 로즈메리
향이 짠맛을 줄이는 효과가 있다. 와인 안주로도 훌륭하다.

버섯남플라볶음

1인분 ▶ 65kcal

재료(2인분)

표고버섯⋯4개
새송이버섯⋯1개
느티만가닥버섯⋯½팩
화이트 와인⋯1큰술
빨간 고추(말린 것)⋯1개
올리브유⋯2작은술

남플라⋯1작은술
소금·후춧가루(굵게 간
것)⋯조금씩
고수⋯적당량

만들기

1 표고버섯은 밑동을 제거하고 4등분한다. 느타리
버섯은 한 입 크기로, 느티만가닥버섯은 밑동을 자
르고 손으로 풀어준다.
2 올리브유를 두른 프라이팬에 씨를 뺀 빨간 고추
를 넣고 1과 함께 볶는다.
3 남플라, 화이트 와인을 넣고 소금, 후춧가루로 맛
낸다. 접시에 담고 고수를 올려준다.

당질 제한 포인트!

짭조름한 맛의 남플라가 버섯의 풍미를 돋운다. 닭고기를
추가로 넣고 볶아도 맛있다.

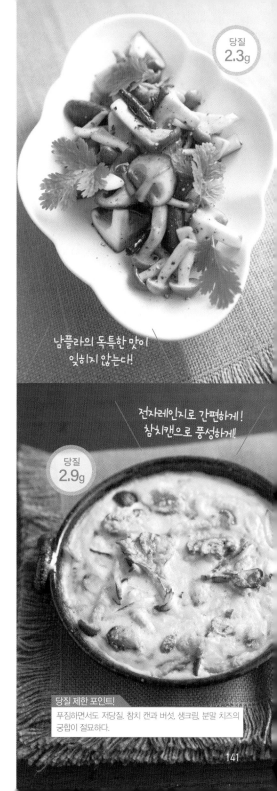

남플라의 독특한 맛이
잊히지 않는다!

전자레인지로 간편하게!
참치캔으로 풍성하게!

당질
2.9g

버섯참치캔오븐구이

1인분 ▶ 466kcal

재료(2인분)

느티만가닥버섯·
느타리버섯⋯½팩씩
양송이버섯⋯4개
대파⋯10cm
올리브유⋯2작은술
참치 캔(작은 것)⋯1캔

A ┌ 달걀⋯1개
  │ 생크림⋯100ml
  │ 분말 치즈⋯3큰술
  └ 소금·후춧가루⋯조금씩

만들기

1 느티만가닥버섯은 밑동을 제거하여 하나씩 분리
하고 양송이버섯은 밑동을 제거한 다음 세로로 얇
게 썬다. 대파는 비스듬히 얇게 썬다.
2 올리브유를 두른 프라이팬에 대파를 볶은 후 버
섯, 참치 캔을 넣어함께 볶는다.
3 2를 내열용 그릇에 넣고 A를 뿌린다.
4 노르스름하게 익을 때까지 200℃로 예열한 오븐
에 10분 굽는다.

당질 제한 포인트!

푸짐하면서도 저당질. 참치 캔과 버섯, 생크림, 분말 치즈의
궁합이 절묘하다.

당질
2.3g

141

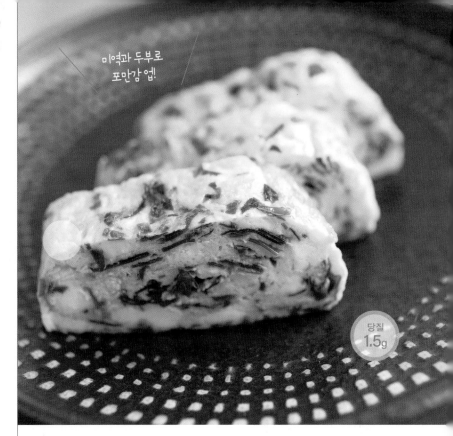

미역과 두부로
포만감 업!

당질
1.5g

해초
OFF
당질 제한 레시피

미역달걀말이

`1인분` ▶ 97kcal

재료(2인분) ─────

생미역…30g
연두부…50g
달걀…2개
실파(잘게 썬 것)…1큰술
국간장…2작은술
육수…2큰술
식용유…적당량

만들기 ─────

1 생미역은 깨끗이 씻어 잘게 다진다. 연두부는 물기
를 완전히 빼서 손으로 으깬다.
2 달걀을 풀어서 1, 실파, 간장, 육수를 섞는다.
3 프라이팬에 식용유를 두르고 2를 적당량 부은 후
반쯤 익으면 돌돌만 다음 끝 부분에 남은 2를 또 붓
고 말아 두툼한 달걀말이를 만든다.

당질 제한 포인트!

미네랄이 풍부한 달걀말이는 도시락으로도 안성맞춤. 미역과
두부가 들어가 배도 적당히 부르다.

미역참기름무침

1인분 ▶ 86kcal

재료(2인분)

생미역…100g
오이…1개

A
┌ 참기름…1큰술
│ 마늘·생강(간 것)…½작은술씩
│ 간장…½작은술
│ 소금…⅓작은술
└ 참깨 간 것…1작은술

만들기

1 생미역은 깨끗이 씻어서 적당히 자른다. 오이는 얇게 썰어서 소금으로 버무린다.
2 두꺼운 냄비나 프라이팬에 1의 미역, A를 넣고 뚜껑을 닫고 중간 불로 5분 끓인다.
3 2가 식으면 1의 오이를 넣고 섞는다.

당질 제한 포인트!

마늘과 생강의 도움으로 미역도 맛있게, 많이 먹을 수 있다. 오이를 넣지 않고 그대로 먹어도 맛있다.

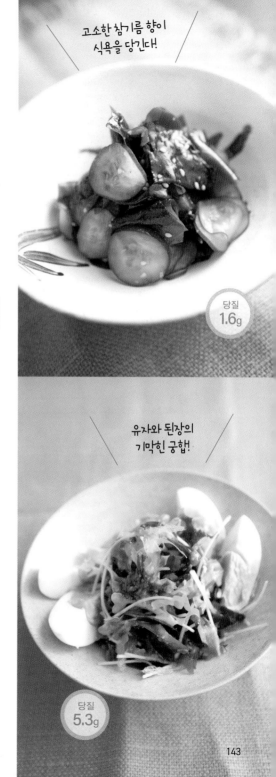

고소한 참기름 향이
식욕을 당긴다!

당질
1.6g

해초된장샐러드

1인분 ▶ 156kcal

재료(2인분)

해초 모둠(건조)…10g
무순…⅓팩
삶은 달걀…2개

A
┌ 된장…1큰술
│ 유자즙…2작은술
│ 식용유…1큰술
│ 라칸토S…2작은술
└ 육수…1큰술

만들기

1 해초 모둠은 물에 담근 후 물기를 빼고 손으로 꼭 짠다. 무순은 뿌리를 제거하고 반으로 자른다. 삶은 달걀은 먹기 좋게 자른다.
2 그릇에 1을 담고 A를 뿌려 먹는다.

당질 제한 포인트!

된장, 단맛이 살짝 나는 유자, 라칸토S를 섞으면 훌륭한 샐러드 소스가 된다. 삶은 달걀을 넣으니 포만감도 향상된다.

유자와 된장의
기막힌 궁합!

당질
5.3g

무를 갈아 넣으니 상쾌한 맛!
건더기도 풍부한 건강한 요리!!

당질
11.9g

전골 OFF 당질 제한 레시피

당질 제한 요리를 만들려면 약간 귀찮기도 하다. 하지만 전골이라면 저당질 식재료를 넣고 끓이기만 하면 되므로 간단히 만들 수 있다. 이때 사용하는 초간장, 간장, 육수는 직접 만드는 게 최고!

무를 갈아 넣은
돼지고기굴전골

1인분 314kcal

재료(2인분)

돼지고기(얇게 썬 것)·굴(껍질 벗긴 것)
···150g씩
경수채···2줄기
팽이버섯···1팩
무···¼개

A ┌ 육수···1,000ml
  │ 국간장···4큰술
  └ 소금···1작은술

시치미토가라시*·유자즙···적당량씩

*시치미토가라시 고추, 후추, 진피, 양귀비, 삼씨, 산초, 파래 등의 7가지 재료를 섞어서 만든 일본고유의 향신료. 요즘은 마트에서도 쉽게 구할 수 있다.

만들기

1 돼지고기는 먹기 좋게 자르고 굴은 소금물에 잘 씻은 후 물기를 빼둔다.
2 경수채는 적당히 자르고 팽이버섯은 밑동을 제거한다. 무는 갈아서 물기를 가볍게 뺀다.
3 냄비에 A를 넣고 어느 정도 익으면 1, 2를 넣고 끓인다. 그릇에 담고 기호에 맞춰시치미토가라시, 유자즙을 뿌려서 먹는다.

> **당질 제한 포인트!**
> 돼지고기, 굴은 당질이 거의 제로에 가까운 식재료이므로 신경 쓰지 않고 많이 먹을 수 있다. 무, 경수채, 팽이버섯은 입맛을 개운하게 하는 식재료다.

촉촉하고 부드러운
맛이 최고!

당질
6.6g

닭고기경단전골

1인분 ▶ 596kcal

재료(2인분)

A
- 닭고기(간 것)···200g
- 대파(다진 것)···⅓대 분량
- 달걀물···½개 분량
- 소금···⅓작은술

곤약(얇게 썬 것)···1팩
부추···1다발
팽이버섯···1팩
유부···2장
두부···1모(300g)
닭고기 육수···1,000ml
다진 마늘···1쪽 분량
소금···2작은술

만들기

1 A를 잘 버무려서 한 입 크기로 둥글게 빚는다.

2 곤약은 뜨거운 물에 삶아 하얀 거품을 제거하고 부추는 적당히 자른다. 팽이버섯은 밑동을 제거한다. 유부는 기름을 뺀후 2cm 폭으로 자른다. 두부는 8등분한다.

3 냄비에 닭고기 육수를 넣고 끓이다가 다진 마늘, 소금을 넣고 한소끔 끓인 후 1과 2를 넣고 조금 더 끓인다.

당질 제한 포인트!

유부, 두부, 닭고기 경단처럼 포만감과 맛이 뛰어난 식재료를 함께 넣고
전골을 끓여보자! 면 대신에 곤약으로.

당질
21.7g

두부&치즈&된장의
육수가 끝내줘!

연어두부치즈전골

1인분 ▶ 603kcal

재료(2인분)

생연어…3토막
배추…300g
순무…4개
두부…1모(300g)
느티만가닥버섯…1팩
육수…600ml

A ⌈ 된장…2큰술
  │ 피자용 치즈…80g
  │ 두유…250ml
  └ 소금…⅓작은술

만들기

1 연어는 한 입 크기로 자르고 배추는 적당히 자른다. 순무는 껍질을 벗겨 5mm 크기로 채 썬다. 두부는 물기를 빼고 8등분 한다. 느티만가닥버섯은 밑동을 제거하여 준비한다.
2 냄비에 육수를 넣고 한소끔 끓으면 1을 넣고 끓이다가 A를 넣어 맛을 낸다.

당질 제한 포인트!

된장 베이스의 두유 치즈 국물은 그 자체로도 맛있다. 연어, 배추, 순무가 그 맛을 더욱 이끌어낸다.

당질
10.9g

이국적 스타일의 신선함!

대구바지락전골

1인분 ▶ 168kcal

재료(2인분)

대구…2토막
바지락…200g
새송이버섯…1팩
시금치…200g

A
┌ 닭고기 수프…1,000ml
│ 다진 마늘…1쪽 분량
│ 다진 생강…1쪽 분량
│ 두반장…2작은술
│ 남플라…2큰술
│ 레몬즙…2큰술
└ 라칸토S…1큰술

고수…적당량

만들기

1 대구는 먹기 좋게 자르고, 바지락은 잘 씻어서 해감한다.
2 새송이버섯은 밑동을 제거하고 세로로 얇게 썬다. 시금치는 뜨거운 물에 살짝 데쳐 적당히 자른다.
3 냄비에 A를 넣고 한소끔 끓으면 1, 2를 넣고 바지락의 입이 벌어질 때까지 끓인 후 적당히 자른 고수를 위에 올린다.

당질 제한 포인트!

생선과 조개로 전골 요리도 먹을 수 있으니 당질 제한 다이어트도 나름대로 즐겁다. 새송이버섯과 시금치를 충분히 사용할 것.

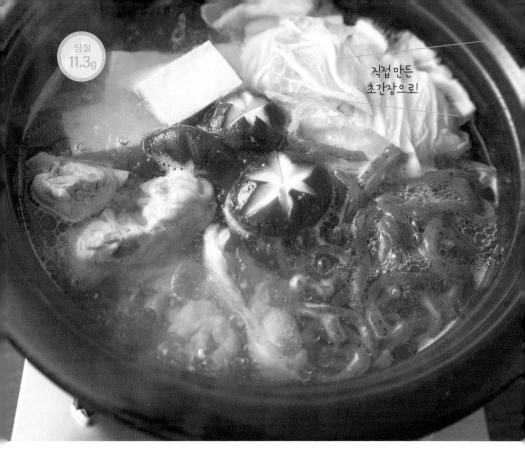

당질
11.3g

직접 만든
초간장으로!

닭고기곤약샤브샤브

1인분 ▶ 380kcal

재료(2인분)

닭고기(뼈째로)…300g
두부…1모(300g)
배추…200g
표고버섯…4개
잘게 썬 곤약…1팩
다시마 맛국물*…1,000ml
수제 초간장(본문 116쪽 참조)…적당량

[다시마 맛국물]
사방 10cm 크기로 썬 다시마를 젖은 키친타월이나 수
건으로 닦은 후 냄비에 물을 넣고 담가둔다. 다시마가
부드러워지면 중간 불에서 익히다가 완전히 끓기 직전
에 다시마를 건져낸다.

※ 다시다를 우려낸 국물은 맛국물이라고 부른다.

만들기

1 닭고기는 큼직하게 자른다.
2 두부는 물기를 빼고 8등분하고 배추는 적당히 자른다. 표고
버섯은 모양을 내서 자르고 곤약은 뜨거운 물에 살짝 데쳐 거
품을 제거한다.
3 따뜻하게 데운 다시마 맛국물에 닭고기를 넣고 15분 정도
끓인 후 1,2를 넣고 5분 더 끓인다.
4 3의 건더기를 무즙이나 초간장에 찍어 먹는다.

당질 제한 포인트!

육수나 맛국물에 익힌 식재료를 소스에 찍어 먹는 것은 저당질 요리의 정
석. 면이나 밥 대신에 곤약을 먹는다. 초간장은 116쪽을 참고하여 직접 만
들어 보자.

카레의 독특한 맛과
당질 제한!

당질
13.1g

카레전골

1인분 576kcal

재료(2인분)

돼지고기(얇게 썬 것)…200g
시금치…200g
숙주…1팩(200g)
느티만가닥버섯…1팩
대파…2대
튀김두부…1모
버터…10g

A
┌ 육수…1,000ml
│ 카레 가루…1큰술
│ 간장…2큰술
│ 화이트 와인…2큰술
│ 라칸토S…1큰술
└ 소금…⅛작은술

만들기

1 돼지고기는 먹기 좋게 한 입 크기로 자른다.
2 시금치는 뜨거운 물에 살짝 데쳐 적당히 자른다. 숙주는 뿌리를 다듬고 느티만가닥버섯은 밑동을 제거한다. 대파는 어슷하게 썬다. 튀김두부는 뜨거운 물을 부어 기름기를 뺀 후 8등분한다.
3 냄비에 A를 넣고 한소끔 끓어오르면 1, 2를 모두 넣고 끓이다가 마무리로 버터를 넣고 한 번 더 끓인다.

당질 제한 포인트!

식욕을 자극하는 카레전골은 고형 카레를 사용하지 않고 카레 가루로 매콤하게 만든다. 진한 맛을 내려면 라칸토S 같은 감미료와 튀김두부가 포인트.

방어가 우려내는
육수를 즐긴다!

당질
12.6g

방어전골

1인분 ▶ 415kcal

재료(2인분)

방어…3토막
경수채…1다발
우엉…1개
대파…1대
곤약(잘게 썬 것)…1팩

A
- 육수…1,000ml
- 생강(얇게 썬 것)…1쪽 분량
- 간장…3큰술
- 소금…1작은술

만들기

1 방어는 먹기 좋게 한 입 크기로 자르고 경수채는 적당히 자른다. 우엉은 얇게 자른 후 물에 헹궈 점액을 제거한다. 대파는 잘게 썰고 곤약은 뜨거운 물에 데쳐 거품을 제거하고 적당히 자른다.

2 냄비에 A를 넣고 한소끔 끓어오르면 1을 넣어 재료가 익을 때까지 끓인다.

당질 제한 포인트!

제철 방어는 맘껏 먹고 싶은 식재료. 우엉과 방어가 육수의 맛을 짙게 해준다. 경수채, 곤약, 대파도 입맛을 개운하게 한다.

늘 냉장고에 넣어두면 좋은
식재료 3가지

저당질에 노화 방지, 미용 효과도 뛰어난 식재료를 갖추는 게 포인트

아보카도

'숲의 버터'라고 일컬어질 만큼 지방분이 많고 영양이 풍부한 과일. 하지만 이 지방분은 올레인산, 리놀산 등의 불포화 지방산을 함유하기에 콜레스테롤을 낮추는 작용을 한다. 비타민 E가 풍부해서 노화 방지에도 효과적이다. 피부를 깨끗이 유지해주고 다이어트에도 효과적인 식재료는 상비해두는 게 좋다.

호박

호박은 저칼로리! 게다가 당질도 낮아서 안심하고 먹을 수 있다. 굽거나 볶거나 날것으로, 혹은 양식, 한식, 일식 스타일로 조리해도 맛있다. 베타카로틴이 풍부해서 감기 예방에도 좋다. 부종 해소, 혈행 촉진뿐 아니라 피부를 깨끗이 해주는 효과도 있다.

브로콜리

베타카로틴을 비롯해 비타민 C, 칼륨, 철분, 식이 섬유가 풍부하다. 빠르게 익힐 수 있는 채소라서 삶아서 샐러드에 곁들이거나 구워 먹어도 맛있다. 삶은 브로콜리를 바냐카우다 소스*에 찍어 먹으면 좋다. 치즈 구이에도 안성맞춤.

※ 바냐카우다: 마늘, 앤초비, 올리브유 등을 끓여 만든 이탈리아 디핑 소스. 레시피는 154쪽 참고.

호박파프리카볶음

1인분 128kcal

재료&만들기(2인분)

먹기 좋게 자른 호박 1/2개, 빨간 파프리카 1/2개, 얇게 썬 마늘 1쪽 분량, 1cm 폭으로 자른 베이컨 1장을 적당량의 올리브유로 볶은 후 소금과 후춧가루를 조금씩 넣어 맛내고 파르메산 치즈를 적당히 갈아 뿌린다.

아삭한 식감이 뛰어나다!

당질 3.0g

호박치즈구이

1인분 63kcal

재료&만들기(2인분)

세로 1cm 두께로 자른 호박 1개에 고르곤졸라 30g을 얹어 토스터에 굽는다.

고르곤졸라의 농후한 맛!

당질 1.3g

호박크림치즈샐러드

1인분 115kcal

재료&만들기(2인분)

소금 간을 한 얇게 썬 호박 1/2개, 깍둑썰기 한 크림치즈 60g을 가다랑어포 2g, 간장 조금으로 맛낸다.

크림치즈와 가쓰오부시가 찰떡궁합!

당질 1.6g

채소오일사딘※

1인분 211kcal

재료&만들기(2인분)

호박 1/2개, 가지 1개는 1cm 두께로 둥글게 자르고 양파 1/8개는 한 입 크기로 자른다. 브로콜리 3개와 함께 오일 사딘 1캔을 통째로 넣고 내열용 그릇에 담은 후 소금과 후춧가루, 오레가노(허브), 월계수 잎 등을 적당량 얹어 오븐에 굽는다.

오븐에 굽기만 하면 간단히 완성!

당질 3.9g

※오일 사딘: 정어리 치어를 기름에 묵힌 식품

호박생햄말이

1인분 90kcal

재료&만들기(2인분)

채 썬 호박 1/2개를 생햄 2장(적당한 크기의 손으로 찢은)으로 말아서, 올리브유를 적당량 뿌려 먹는다.

생햄의 짭짤한 맛으로도 충분히 맛있다!

당질 0.6g

아보카도느타리버섯소테

1인분 141cal

재료&만들기(2인분)

예열된 프라이팬에 버터 10g을 넣어 녹인 후 먹기 좋게 자른 아보카도 1개와 새송이버섯 1개를 넣어 볶은 다음 레몬즙, 간장, 소금, 후춧가루를 넣어 간한다.

버터를 충분히 사용해도 안심!

당질 2.0g

아보카도훈제연어카나페

1인분 220kcal

재료&만들기(2인분)

얇게 썬 아보카도 1/4개와 훈제 연어 4장, 크림치즈 40g을 접시에 담고 데일(향신료)을 올린 후 소금, 후춧가루, 발사믹 식초(또는 화이트 와인 비네거), 올리브유를 적당량 뿌려 먹는다.

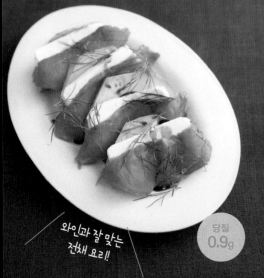

와인과 잘 맞는 전채 요리!

당질 0.9g

바냐카우다

1인분 317kcal

재료&만들기(2인분)

얇게 썬 앤초비 3개, 다진 마늘 1쪽 분량, 올리브유 3큰술, 생크림 1큰술을 잘 섞어 익힌다. 삶은 브로콜리, 아스파라거스, 셀러리, 치커리 등 채소를 곁들여 먹는다.

앤초비, 마늘, 생크림의 절묘한 조화!

당질 2.4g

아보카도명란무침

1인분 77kcal

재료&만들기(2인분)

아보카도 1/2개를 2cm 크기로 깍둑썰기 한 뒤 잘 풀은 명란 1/4개, 참기름 1작은술, 간장 1작은술. 쫑쫑 썬 실파를 함께 아보카도와 버무린다.

명란과 아보카도의
운명적 만남!

당질
0.8g

브로콜리구이

1인분 19kcal

재료&만들기(2인분)

브로콜리 1/2개를 작게 떼서 그릴에 구운 브로콜리에 간장 1작은술, 유자후춧가루를 조금을 넣어 만든 소스를 뿌린다.

굽기만 해도
각별한 맛!

당질
0.7g

아보카도참치스테이크

1인분 181kcal

재료&만들기(2인분)

참치 150g에 소금, 후춧가루, 다진 마늘을 적당량씩 스며들게 바른 뒤 식용유를 두르고 달군 프라이팬에 살짝 굽는다. 참치는 비스듬히 켜듯이 자른다. 거기에 다진 아보카도 1/4개, 고추냉이 1/2작은술, 소금·후춧가루·레몬즙 각각 2작은술, 다진 마늘 조금, 마요네즈 1큰술을 넣고 버무린 소스를 뿌린다. 닭고기나 돼지고기로 대신해도 맛있다.

참치와 아보카도의
포만감!

당질
2.1g

아보카도김말이

1인분 51kcal

재료&만들기(2인분)

얇게 썬 아보카도 1/2개를 적당한 크기로 자른 구운 김으로 말아, 고추냉이를 적당히 바르고 간장을 뿌려 먹는다.

김도
참신한 간식거리!

당질
0.7g

레시피명으로 찾아보기

마키타 젠지 지음

당뇨병 전문의. 1979년 홋카이도대 의학부 졸업. 지역 의료에 종사한 후, 미국으로 건너가 뉴욕의 록펠러대학에서 당뇨병 합병증의 원인으로 주목되던 AGE(최종 당화산물)에 관해 5년간 연구했다. 1996년에 홋카이도대 의학부 강사, 2000년부터는 구루메(久留米)대 의학부 교수 역임. 2003년 당뇨병을 비롯한 생활 습관병, 비만 치료를 위한 'AGE 마키타 클리닉'을 열었고, 지금까지 연인원 10만 명 이상의 환자를 치료하고 있다. 저서로는 《당뇨병 전문의에 맡기세요》, 《당뇨병은 밥보다 스테이크를 드세요》, 《술, 고기를 즐기면서도 당뇨병을 낫게 만드는 방법》 등 다수.

우시오 리에 요리 스타일링

영양사. 요리 연구가에게 사사한 후 요리 전문 제작 회사를 거쳐 독립. 그녀의 레시피는 일상생활에서 실천할 수 있으며, 조리하기 쉽고 맛도 진하다는 정평을 얻고 있다. 저서로는 《압력밥솥으로 만들어 감동까지 주는 반찬 레시피》, 《기본과 요령을 확실히 익히고 칭찬받는 레시피》 등 다수가 있다.

오세웅 옮김

일본유통경제대학교를 졸업했으며, 자신의 글도 쓰고 남의 글도 번역하는 일을 한다. 그래서 잡가(雜家)라고 자칭한다. 사람에 의한, 사람을 위한, 사람의 책을 지향한다. 지은 책으로는 《아사히야마 동물원 이야기》, 《여자, 멘토를 만나다》, 《두 번째 인생》, 《더 서비스(The Service)》, 《고교생 레스토랑》, 《7분간의 기적》 등이 있으며, 옮긴 책으로는 《읽을수록 놀라운 태아 기억 이야기》, 《말과 목소리가 바뀌면 인생이 99% 바뀐다》 등이 있다.